GRAVITY
EFFECT

Contents

GRAVITY EFFECT ISSUE 3 PERFORMANCE

2017년 4월 15일 발행

발행인 구나윤

편집장 고윤정

에디터 강은미

디자인 윤대중

인쇄 (주) 동인 AP

사진제공

고윤정, 김태현, Project Unit 828384,

마리나 아브라모비치 인스티튜트 MAI,

PERFORMA, 아뜰리에 에르메스, 조숙현,

논 베를린, 플레이스막, 대안공간루프,

퍼폼2016, 김가람, 박승원, 안데스,

옥인콜렉티브, 옥정호, 조영주, 조은지,

이경희, 흑표범, 아트프리, JD Woo, 정진우

참여자

강은미, 구나윤, 고윤정, 김윤영, 김지연,

김화현, 문선아, 박소옥, 양은혜, 유은순,

이빛나, 임근준, 장진택, 조숙현, 최나우

발행처 Graphite on Pink

출판등록 2015. 3. 10

주 소 / 06020 서울시 강남구 선릉로 153길 32, 채원빌딩 4층(신사동 647-24)

전 화 / 02-514-1132

팩 스 / 02-514-1108

이메일 / info@graphiteonpink.com

웹사이트 / www.graphiteonpink.com

ISBN 979-11-87938-01-9

편집장의 글

고윤정

편집장의 글

　며칠 전, 어느 작가와 대화 중에 본인의 작업에 취미생활을 적용하게 된 이야기를 나누었다. 편집장도 늘 관심을 가지고 있는 장르인 '퍼포먼스'를 드디어 GRAVITY EFFECT 3호를 통해 바라보게 되어 평소의 취향과 본업사이의 경계를 지워보는 기회를 가지게 되었다.

　퍼포먼스 예술은 시공간이 같은 자리에서 동시대 미술의 담론이 동시에 실천된다는 점에서 흥미롭다. 설치, 아카이브, 관람객, 구성 방법 등 전시를 구성하는 요소들이 기존의 '예술가-전시장-관람객'의 모델을 모든 면에서 전복되어 등장한다. 대부분의 경우 전통적인 개념의 화이트큐브 공간이 아닌 대안공간 혹은 일시적으로 확보된 공간에서 퍼포먼스가 일어나며 동시적으로 예술가와 관람객이 '직접' 만난다.

　제스처의 의미에서 '해프닝'(Happening)이라는 단어로 등장한 퍼포먼스 예술에 대해 앨런 카프로우(Allan Kaprow)는 '우연성', '즉흥성', '개입'이라는 3가지 조건을 제시했다. 관람객이 언제든지 퍼포먼스 내용에 개입할 수 있는 여지를 열어두고 즉흥성에 의존하는 것이다. 더불어 전통적으로 내려오는 퍼포먼스 예술의 특징은 '현존성'으로 예술가와 관람자가 같은 시간과 장소에 존재하는 것이다. 이론적인 틀에서 자료로 접했던 퍼포먼스 예술의 현존성이나 즉흥성은 사실 현장에서 그 느낌을 더욱 강하게 경험하였다. 개인적 취미생활이지만 댄스 공연을 준비하거나 기사를 준비하는 과정에서 국내의 퍼포먼스 작가들을 취재하는 기회를 통해 두드러지게 정리된 개념들이 있다.

첫 번째로는 '즉흥성'이다. 퍼포먼스에서 즉흥성은 오해를 불러오기 쉽다. 일반적으로 연습을 안하거나 관객들이 알아채지 못하게 내용이 전개된다거나 이해할 수 없다는 등의 평가를 받는 것과는 달리 대부분의 퍼포먼스는 즉흥이라 하더라도 철저하게 계산되며, 매일같이 연습한 내용을 선보인다. 그리고 매 공연마다의 관람객과의 시간 속에 벌어지는 즉흥성은 매번 다르게 발현된다. 여러 번의 퍼포먼스를 통해 각기 다른 결과로 전개되는 것이다.

두 번째는 사진과 영상 등 '기록'의 중요성이다. 로버트 스미드슨(Robert Smithson)은 <나선형 방파제(Spiral Jetty)>(1970) 작업을 하면서 작품 제작 후 가라앉아버리는 대지미술을 사진으로 기록했다. 그는 거대한 대지에 펼쳐진 작품을 관람자가 걸으면서 경험해야하는 것인지 멀리서 전체를 조망해야 작품을 제대로 경험한 것인지에 대한 질문을 던졌다. 헬리콥터를 이용하여 작품사진과 다큐멘터리를 남겨 놓았는데 이 자료를 보고 관객들은 진정한 '나선형 방파제'라고 생각한다. 여러 퍼포먼스 예술가들은 단순하게 현장의 퍼포먼스만 기획하지 않고 어떻게 기록해야할지를 고심했기에 일반적으로 경험할 수 있는 작품도록보다 더욱 예민하게 작업한 흔적이 역력했다. 기획 단계부터 사진과 영상제작을 염두에 두고 진행되어 사후의 기록이 그 자체로 단독의 작품이 되기도 했다.

세 번째로 '퍼포먼스'라는 용어가 여전히 애매한 개념이라는 것이다. 예술가가 속한 장르의 기반에 따라 '퍼포먼스'를 다르게 해석하고 있었다. 무용에서 출발하여 안무나 공연 연출가로 활동하는 예술가들은 '퍼포먼스'를 또 다른 공연으로 여겼다. 무용 공연이 대부분 1시간 이상을 소요되기에 미술관에서의 20분짜리 퍼포먼스에 대해서는 적절하지 않은 퍼포먼스라고 여기는 경우가 많았다. 전시장의 작품들을 하나의 조건으로만 생각하고 오로지 공연 예술 개념만을 적용하여 이해하고 있었다. 무용장르의 예술가들은 주로 전시장이나 공연장의 바닥, 관람객을 둘러싼 공간을 해석하는 구도에서 퍼포먼스를 이해한다. 음악의 유무와는 상관없이 몸과 공간의 관계, 그리고 현존하고 있는 상황에 대해 더욱 주목하고 있었다.

반면에 공연이나 연극연출을 기반으로 한 예술가들은 내용의 다양성을 추구하면서도, 무대와 관객의 구도에 대해서는 전형적이었다. 그래서 이러한 퍼포먼스는 관람객이 무대를 바라보는 일방적인 시선에 의하여 연출된다. 즉흥성마저도 철저하게 계산된 조건에서의 즉흥이기에 매 공연의 러닝타임도 비교적 정확한 편이다.

시각예술에서의 '퍼포먼스'는 오히려 그 자체로 현대의 시각예술 용어로 전용될 만큼 기울어져있다. 사진과 기록, 그리고 퍼포먼스가 하나의 총체적인 시각예술의 장르로 인식되는 과정은 인과관계가 매우 뒤섞여 있다. 또한 예술가가 원하는 개념이나 효과를 위하여 여러 다른 요소들이 부수적으로 따르는 형식을 띈다. 퍼포먼스라는 장르적인 문제보다는 시각 예술가가 주목하는 주제가 우선하며 문제를 제기하는 제스처를 위해 퍼포먼스가 일어나는 것이다. 그래서 예술가마다 러닝타임, 현장, 관객, 무대, 공간이 다종다양하게 펼쳐진다.

이와 같은 맥락으로 이번 호에서는 해외에서의 퍼포먼스 예술 경향을 비롯하여 국내에서의 다채로운 퍼포먼스 전시 현장에 대해서 차분히 살펴보고자 하였다. 국내에서는 '페스티벌 봄'이 2007년부터 약 10여 년간 퍼포먼스에 주목한 전시와 공연으로 예술계 내에 한 획을 그었다. '페스티벌 봄' 이후에 퍼포먼스 장르가 미술관의 '오프닝' 정도로 존재감이 축소된 것처럼 느꼈던 독자들은 GRAVITY EFFECT 3호를 통해 '퍼포먼스'가 여전히 독자적인 영역을 구축하며 존재를 드러내고 있는 장르의 예술임을 알게 될 것이다.

해외 예술 공간소개

마리나 아브라모비치 인스티튜트 MAI

퍼포마 PERFORMA

논 베를린 Non Berlin

"지금 이 순간"을 자각하는 행위예술,

아브라모빅 메소드를 실천하는 행위예술기관

마리나 아브라모비치 인스티튜트

Marina Abramovic Institute(MAI)

2013년 8월 8일, 파격적인 퍼포먼스로 유명한 팝 아티스트 레이디 가가가 등장하는 영상이 한 온라인 플랫폼을 통해 공개되었다. 그런데 해당 영상은 기존에 그가 보여줬던 파격성과는 전혀 다른 모습을 담고 있다. 느리게 흘러가는 짧은 영상에서 그녀는 의미 없는 소리를 길게 내뱉고, 전라의 상태로 자연 속을 누비며, 거대한 크리스탈을 껴안는다. 다소 괴이하면서도 명상적인 몸짓을 펼치는 모습에 이를 본 사람들은 자신도 모르게 떡하고 입을 벌리고 만다. 신선한 충격을 주는 영상이지만 이는 그녀의 뮤직비디오도, 본인 새 앨범의 홍보물도 아니다. 영상은 행위예술기관, 마리나 아브라모비치 인스티튜트(Marina Abramovic Institute, 이하 MAI)를 위해 제작된 것이었다. 레이디 가가는 MAI의 설립자이자 퍼포먼스 예술가인 마리나의 열혈 팬으로 당시 작가의 요청으로 촬영에 응했고 뉴욕 허드슨 강가에서 3일 동안 촬영하였다. 영상에는 레이디 가가가 아브라모빅의 예술적 경험의 결집체인 '아브라모빅 메소드(Abromovic Method)'를 실천하는 모습이 담겼으며 이는 한 달간 진행되었던 MAI의 홍보 및 건물설립을 위한 기금마련을 위한 캠페인으로 사용되었다.

2009년에 기관으로 등록되어 2013년부터 본격적으로 활동을 시작한 MAI는 유고슬라비아 출신의 행위예술가, 마리나 아브라모비치(Marina Abramovic, 1946-)의 예술적 유산을 이어나가기 위해 설립되었다. '행위예술의 대모'라는 타이틀을 가진 그는 1970년대 초부터 약 40여 년간 활동해오고 있다. 그의 퍼포먼스 작품들은 신체를 극한으로 몰아가 육체적 한계와 정신적 가능성을 탐구하고, 나아가 이를 통한 치유를 추구한다. 인내의 과정을 보여주는 그의 작품들은 베니스 비엔날레, 뉴욕현대미술관, 구겐하임 미술관 등 내로라하는 예술기관에서 선보였으며 지금도 활발한 활동을 펼치고 있어 퍼포먼스 예술가로서 단단한 위상을 차지하고 있다.

그러나 그녀는 몇 년 전 한 전시를 통해 예술가가 아닌 한 기관의 설립자로서의 면모가 전개되었다. 2010년 뉴욕현대미술관에서 개최되었던 최대 규모의 행위예술 전시이자 아브라모비치의 회고전이었던 <The Artist is Present(아티스트는 현재다)>전이다. 전시가 진행된 3개월 내내 뉴욕현대미술관 전 층에서 내려다보이는 오픈된

Commissioned and produced originally by NEON + Marina Abramovic Institute, Yota Argyropoulou, One Person at a Time, on the occasion of AS ONE, Benaki Museum, Athens, 10 March - 24 April 2016. Photography by Natalia Tsoukala

공간에서 매일 7시간 반씩 먹지도, 마시지도, 쉬지도 않고 맞은편에 앉은 관객의 눈을 1분간 응시하며 감정적 교류를 나누는 퍼포먼스를 펼쳤다. 바쁜 뉴요커들이 과연 예술가와 그저 눈 한 번 마주 보려고 미술관을 찾을까하는 우려와 달리 전시는 예상 밖 성적을 기록하였다. 사람들은 이 전시를 보기 위해 새벽부터 줄을 섰고, 결과적으로 최종 관람객 수 850만 여 명으로 집계되어 뉴욕현대미술관 평균 방문객 수의 두 배가 넘는 대기록을 달성하였다. 또한, SNS를 통해 사람들이 자신의 경험담을 공유하고, 감동적 순간들을 영상으로 만들어 인터넷에 올리면서, 미술관을 방문하지 못했던 이들도 한 번쯤 퍼포먼스를 접했을 정도로 전 세계에 널리 알려졌다.

이 경험은 작가에게도 많은 귀감이 되었고 회고전을 마치고 진행한 뉴욕타임스 지와의 인터뷰에서 그는 이렇게 이야기한다. "내 맞은편에 앉았던 사람들은 인종도, 문화도, 계층도 모두 달랐다. 당시에 선보였던 작품은 회화도 조각도 아닌 강렬한 감정적 사건이었고, 그 자리에 있었던 모든 사람이 그 감정을 공유했다. 그들은 장시간 동안 이뤄지는 행위예술이 갖는 놀라운 힘에 대해 이해한 것이다. 이 경험 이후로 나는 지난 40년간의 나의 작업을

대중에게 전달해야겠다는 강한 욕구를 느꼈다. 이는 작품을 만드는 것과는 다른, 더 큰 의미다. 더 이상 '나만의'의 작업이 아니라 이 세상에 존재하는 모든 사람의 의식을 바꾸는 일이 된 것이다."

작가와 마주하는 순간의 감정 교류에 대해 많은 사람들이 공감하는 모습을 보면서 대중들이 이러한 경험을 필요로 한다는 것을 깨닫고 MAI의 활동을 적극적으로 진전시키기 시작하였다.

MAI는 궁극적으로 작가가 구축해온 행위예술 운동인 아브라모비치 메소드를 구현할 수 있는 바우하우스를 만드는 것을 목표로 한다. 즉, 예술가, 과학자, 사상가 등 다양한 분야의 전문가들이 한 곳에 모여 행위예술을 중심으로 교류하는 메카이자, 대중들이 몸과 마음을 정화할 수 있는 플랫폼을 제공하는 것이다. 그녀가 예술가로서 축적해온 일련의 예술운동 방법론으로 천천히 걷기, 물 마시기, 누워있기 등 1분이면 충분한 단순한 동작들이 30분 이상 계속된다. 이 활동은 궁극적으로 행위자가 정신적, 신체적 자각을 극대화하여 현재에 집중할 수 있도록 하는 것이다. 아브라모비치 메소드는 현재를 자각하기 위한 활동이다. 현재를 온전하게 자각함으로써 개개

Commissioned and produced originally by NEON + Marina Abramovic Institute, Amanda Coogan, You don't push a river, on the occasion of AS ONE, Benaki Museum, Athens, 10 March - 24 April 2016. Photography by Natalia Tsoukala

AS ONE, NEON + Marina Abramovic Institute, Benaki Museum, Athens, 10 March - 24 April 2016, Photography by Panos Kokkinias

Commissioned and produced originally by NEON + Marina Abramovic Institute, Despina Zacharopoulou, Corner Time, on the occasion of AS ONE, Benaki Museum, Athens, 10 March - 24 April 2016. Photography by Natalia Tsoukala

인의 삶에 변화를 가져오기 때문이다. 그러한 현재를 온전하게 느낀다는 것은 정신과 육체가 같은 시공간에 함께 있을 때 이루어지기 때문에 정신과 육체 사이의 균형을 찾는 것이라고 설명한다. 이를 달성하기 위해 그는 장시간 지속되는 예술(Long Duration Art)의 형태로 퍼포먼스를 수행한다.

MAI는 네 가지 미션으로 활동하고 있다. 첫째, 퍼포먼스, 무용, 연극, 영화, 음악, 오페라 등 다양한 분야의 예술가들이 장시간 예술을 선보일 수 있는 장을 마련해 주고, 둘째, 새로운 장시간 예술 프로젝트를 위해 연구 공간과 자원을 지원한다. 셋째, 강연, 워크숍, 대중프로그램 등 퍼포먼스를 주제로 한 다양한 교육 프로그램을 기획하며, 넷째, 대중들에게 아브라모비치 메소드를 경험할 수 있는 기회를 제공한다. 이와 같은 미션을 기반으로 MAI는 현재까지 총 3개의 프로젝트를 각기 다른 나라에 있는 단체들과 진행하였다.

첫 프로젝트로, 브라질 상파울루에 위치한 복합문화공간, SESC Pompeia에서 2015년 3월 10일부터 두 달간 '테라코뮤널- MAI(Terra Comunal-MAI)'을 진행하였다. 아브라모비치의 회고전 형태로 구성되어 대중들이 작가의

대표작을 감상하고 작가와 직접 대화를 나눌 기회가 주어졌으며, 사전예약을 통해 2시간 반 동안 아브라모비치 메소드를 경험했다. 사전 선발된 8명의 브라질 퍼포먼스 예술가들은 아브라모빅 메소드를 집중적으로 체험하고 아울러 그 경험을 기반으로 만들어진 그들의 작품을 선보였다.

또한 호주에서는 2015년 6월 24일부터 7월 5일까지 시드니의 '칼도르 공공 예술 프로젝트 30(Kaldor Public Art Project 30)'의 일환으로 '마리나 아브라모비치 인 레지던시(Marina Abramovic: In residence)'가 이뤄졌다. 전도유망한 12명의 호주예술가에게 저명한 예술가와의 교류를 통해서 그들의 창작을 격려하고, 대중들에게는 더욱 다양한 퍼포먼스를 접할 기회를 제공하며, 연계 교육프로그램을 통해 예술에 대한 활발한 담론을 이끌어 냈다.

유럽에서는 그리스 아테네의 베나키 박물관(Benaki Museum)을 퍼포먼스 예술을 위한 실험공간으로 탈바꿈시켰다. 2016년 3월 10일부터 7주간 MAI는 그리스의 비영리 예술단체 NEON과의 협업으로 '에즈원(As One)'이라는 프로젝트를 진행하였다. 이전 프로젝트들처럼 선발

Commissioned and produced originally by NEON + Marina Abramovic Institute, Thodoris Trampas, Pangaia, on the occasion of AS ONE, Benaki Museum, Athens, 10 March - 24 April 2016. Photography by Natalia Tsoukala

된 그리스의 예술가들은 트레이닝을 받고, 대중들에게는 다양한 교육프로그램이 제공되었다. 이 프로젝트가 특별했던 점은 그동안 사전등록을 통해 성인들에게 한정되었던 것이 어린 연령대에도 개방되어 보다 많은 참여를 유도한 것이다.

이러한 프로젝트를 통해서만 MAI의 프로그램들을 만나볼 수 있었으나 이제는 대중들이 언제든 경험할 수 있는 행위 예술 센터가 생길 예정이다. 2007년 뉴욕 주 허드슨에 위치한 3,065 제곱미터 크기의 오래된 극장 건물을 아브라모비치가 사비 $950,000에 구입하여 이를 MAI에 기부한 것이 센터의 기초가 되었다. 현재 이 건물은 센터가 위치한 지명을 따서 'MAI-허드슨'이라 불린다. 뉴욕 주 허드슨은 미국 최초의 미술 학파인 허드슨 리버파가 탄생한 예술사적으로 유서가 깊은 곳이며, 근처에 숲이 있어 명상적인 행위예술을 실천하기 위한 최적의 장소이다. 아울러 동부 주요 도시 및 예술 기관들과 인접하여 많은 방문객 유입이 예상되어 최적의 입지로 평가받고 있다. 'MAI-허드슨'은 아직 정확한 개관 날짜가 나오지 않았지만, 앞으로 뉴욕을 중심으로 퍼포먼스 예술을 통해 현대예술계를 새롭게 활성화 시킬 수 있는 새로운

축이 될 예정이다.

MAI는 마리나의 예술적 유산을 지키고 그 중심으로 행위 예술을 알리는 것에 목적을 두고 있지만, 더 거시적인 관점에서 무형의 경험적 예술을 대중들에게 알리고 있다는 점에서 또한 큰 의미를 갖고 있다. 행위 예술은 회화, 조각, 설치 작품처럼 유형의 예술작품으로 남기기가 어렵다. 물론 비디오나 사진과 같은 아카이브 형태로 그 흔적을 남길 수 있지만 행위 예술은 궁극적으로 행위자가 예술을 펼치는 그 순간에만 존재하기 때문이다. 소유 불가능한 휘발성 때문에 퍼포먼스 예술은 다른 예술 분야보다 비교적 최근에 들어서야 현대예술의 한 분야로서 자리 잡았다. 지금은 현대 예술사에서 차지하는 중요성이 점점 커지면서 전 세계적으로 미술관, 갤러리, 비엔날레 등 다양한 예술기관에서 퍼포먼스가 선보이지만 아직도 행위 예술이 중심이 되는 곳은 드물다. 특히, 미술관처럼 지속해서 퍼포먼스 예술을 관람하고 경험하고, 연구하는 곳은 더욱 그렇다. 그러한 면에서 앞으로 지어질 'MAI-허드슨'은 행위예술을 중심으로 한 미술관의 근간이 될 것이다. 더 나아가 지역적 한계성을 뛰어넘어 전 세계를 무대로 펼쳐지고 있는 MAI의 프로젝트들은 아직 덜

활성화된 현대예술의 한 면 즉, 행위예술 분야를 발전시키는 자극제 역할을 할 것이다. 관객들의 적극적인 참여를 요구하고, 현재를 자각함으로써 변화를 추구하는 아브라모빅의 무형 예술은 기존 미술제도권에서 중심으로 두고 있는 예술형식과는 확연히 다르다. 그러한 면에서 볼 때 이러한 행위예술을 중심으로 활동하는 MAI가 앞으로 우리에게 어떠한 새로운 관점을 제시해주고 의미를 가져다줄지 기대해보는 것도 재미있을 것이라 생각한다.

살아있는 예술로 살아나는 도시

내일의 예술을 위한 오늘의 퍼포먼스

퍼포마(PERFORMA)[1]

퍼포마, 로즈리 골드버그(Performa, RoseLee Goldberg)

2004년에 창립한 뉴욕의 대표적인 비영리 공연예술 단체인 퍼포마(performa-arts.org)는 그 자체로 국제적인 현대미술계의 선구적인 존재다. 공연을 위한 시설, 고정적인 정부의 보조금도 없이 후원금과 작가와의 네트워크, 뉴욕 시내의 여러 예술 기관과의 협력으로 운영비를 충당하고 100여개의 프로그램을 만들어내며 행사를 이어가고 있는 것은 그 자체로 놀라운 성취다. 이렇게 스스로 걸어간 길을 그 역사로 만드는 퍼포마의 창립자

는 미술사가이자 큐레이터인 로즈리 골드버그(RoseLee Goldberg)다.[2]

그녀는 1970년대부터 더 키친(The Kitchen)[3]에서 약 30년간 큐레이터로 활동하면서 시각예술형식으로서의 라이브 퍼포먼스(Live Performance)라는 장르의 가능성에 대해 충분히 실험하였다. 그 과정 중에 대중들에게 퍼포먼스에 대한 관점을 제시하고 이해시키며 공론장을 만드는 역할을 하였다. 2001년 쉬린 네샤(Shirin Neshat)의 <Logic of Birds>라는 작품을 제작, 연출을 공동 진행하면서 뉴욕과 런던에서 대중적인 성공을 거두었다. 이를 계기로 퍼포마 비엔날레에 대한 기획을 시작하였고

---

1) 공식 홈페이지 www.performa-arts.org

2) 대표저서로는 Performance Art : From Futurism to the Present(1979&2000)이 있으며 11개 언어로 번역되어 퍼포먼스 연구에서 주요한 텍스트로 사용되고 있다.

3) 1972년 그녀가 로열아트칼리지갤러리(Royal Art College Gallery)의 디렉터가 되었을 때, 골드버그는 다층위적이고, 분야 통합적인 새 큐레이터적 작업으로 선례를 남겼다. 그녀는 몇 년 뒤 키친(Kitchen)에서 로리 앤더슨(Laurie Anderson), 필립 글래스(Phillip Glass), 피터 고든(Peter Gordon), 메레디스 몽크(Meredith Monk) 그리고 로버트 윌슨(Robert Wilson)과 같은 획기적인 아티스트들을 소개하기 위한 퍼포먼스 공간과 시각예술 갤러리, 비디오룸을 만들었고, 그들의 작업을 큐레이팅을 했다. 특히 잭 골드스타인(Jack Goldstein), 셰리 리바인(Sherri Levine), 로버트 롱고(Robert Longo), 데이비드 살르(David Salle) 그리고 신디 셔먼(Cindy Sherman)과 같은 아티스트들의 첫 단독전시를 기획했다. 그녀의 이 획기적인 기획들은 키친(Kitchen)을 세계적 멀티미디어 기관 중 가장 중요한 기관으로 자리매김 시켰다. 레나타 페트로니(전미공연예술네트워크 국제교류프로그램 디렉터), 퍼포마 예술감독 로즈리 골드버그 인터뷰, 예술경영, 2014년 1월 23일, NO.244.

Jesper Just, Servitudes, 2015. A Performa 15 Consortium Project presented by Times Square Arts Midnight Moments. Photo by Paula Court

Nina Beier, Anti-aging, 2015. A Performa 15 Consortium Project presented by Swiss Institute. Photo by Paula Court, Courtesy of the artist.

Performa 09 Hub at the Cooper Union by nOffice, Photo Alix Maubrey.

Performa Hub by nOffice, 2011. Photo Ken Goebel.

성공적인 프로덕션으로 발전시켜 2004년에 퍼포마를 설립한다. 그녀는 20세기 아방가르드 예술, 미래주의와 다다이즘 등 새로운 예술 형식에 대한 탐구가 활발한 시기에 등장한 퍼포먼스를 21세기 뉴욕이라는 도시에 활력을 불어넣기 위한 촉매로 선택하였다. 1960~70년대 플럭서스와 해프닝, 개념미술의 본산이었던 뉴욕은 퍼포먼스에 있어서만은 유예되어 있었다. 현대미술의 흐름 안에서 퍼포먼스를 새롭게 발견하고 역사를 연장시켜나간다는 점에서 그녀의 역할은 괄목할만하다. 2005년 퍼포마에 대한 출판물 퍼포마:새로운 시각 예술 퍼포먼스(Performa: New Visual Art Performance)[4]의 서문에서도 할 포스터(Hal Foster)가 언급하듯 퍼포마가 그 자체로 연상 기능(Mnemonic function)을 가지기 때문이다. 1960,70년대 뉴욕의 해프닝, 액션페인팅과 같은 일련의 사건들을 연상하게 하고 그 의식을 발전시켜 나가는 역사적인 수행을 하고 있다. 무엇보다 중요한 것은 그동안 경시되었던 퍼포먼스 아티스트들을 발굴하고 관객과 함께 동시적인 경험을 창조하며 또한 문화적 경험으로서의 예술적 기능을 가진 퍼포먼스를 통해 사회 내의 분열점을 매개하고 있다는 점이다.

퍼포마 비엔날레(Performa Biennial)

퍼포마는 다학제적(multidisciplinary) 비영리 예술기구로서 20세기 예술사 내의 라이브 퍼포먼스(Live Performance)의 역할에 대해 연구하며 21세기의 예술에 새로운 방향성을 제시하고자 하는 목적을 가지고 있다. 뉴욕이라는 대도시에 2년마다 퍼포먼스 비엔날레를 개최하여 예술사에서 퍼포먼스의 역할을 재조명하고 그 중요성을 드러낸다. 또한 20여명의 큐레이터들이 전 세계의 예술기관과 퍼포먼스 예술가들과의 협업을 통해 역동적인 프로그램들을 창조해내고 있다. 매 홀수 해 11월, 3주간 진행되는 퍼포마는 2005년에 시작해 첫 해부터 놀라운 성공을 거두었다. 할렘에서 다운타운에 이르기까지 20곳이 넘는 현장에서 25,000명의 참여자들, 관객들과 함께 뉴욕의 곳곳에 활력을 불어넣는다. 퍼포먼스 프로그램과 전시, 학술 심포지엄, 필름 상영회 등

뉴욕시내의 독립 큐레이터들과 대안공간, 갤러리 뮤지엄과 다양한 프로젝트를 통해 예술이 가진 역동적인 힘을 드러냈다.

2007년에는 퍼포마 커미션을 통해 전 세계로부터 더욱 다양한 퍼포먼스가 등장하였고, 60곳이 넘는 장소에서 뉴욕이라는 도시에 활기를 불어넣었다. 2009년부터는 로즈리가 연구해왔던 퍼포먼스의 역사를 되짚는 의미에서 주제를 선정하여 진행되었다. 2009년에는 미래주의, 2011년은 러시아 아방가르드, 2013년은 초현실주의를 키워드로 제시하여 미술사적으로 중요한 퍼포먼스의 지위를 확인하기도 했다. 또한, 21세기에 접어들며 경계가 사라진 문화적 경험으로서의 퍼포먼스를 다층적으로 기획해나갔다. 시각예술, 음악, 댄스, 시, 패션, 건축, 그래픽 디자인, 요리에 이르기 까지 모든 영역의 경계를 허물고 퍼포먼스라는 형식아래 만났다. 뉴욕의 퍼포마는 그 자체로 하나의 "실험"이자 "질문"이며 "도전"이다. 도무스(Domus)의 평론가이자 큐레이터인 프란체스코 보나미(Francesco Bonami)는 "퍼포마는 항상 고대하게 만드는 현대미술의 중요한 행사로 저 하늘 위에 있다"라고 표현했다.

이러한 퍼포마의 노력에 대한 화답으로 뉴욕의 모마(MoMA, Museum of Modern Art), 구겐하임(Guggenheim), 휘트니(Whitney), 파리의 퐁피두센터(Centre Pompidou) 그리고 모스크바의 현대미술창고센터(Garage Center for Contemporary Art)와 같은 주요 미술관에서 새로운 형식의 퍼포먼스 전시들이 증가했다. 뉴욕 매거진의 제리 살츠(Jerry Saltz)는 퍼포마를 일컬어 "뉴욕에 주어진 선물"이라고 표현했다.

퍼포마 커미션(Commissioning Fund)

퍼포마의 가장 특징적인 점이 바로 작가의 퍼포먼스 제작을 지원하는 '퍼포마 커미션' 프로그램이다. 시각예술에 기반을 둔 작가의 퍼포먼스 작업 제작 전반을 지원한다. 시각예술 아티스트를 초대하는 이유에 대해 질문을 받은 로즈리 골드버그가 답하기를, '퍼포먼스의 완전히 새로운 가능성'을 열기 위해서라고 했다. 이 프로그램을

4) Goldberg, Roselee, Performa : New Visual Art Performance, Performa:New York, 2007.

Francis Alys, Rehearsal II, 2005. Photo Paula Court

Issac Julien and Russell Maliphant, Cast No Shadow, 2007. Photo by Johan Persson. Courtesy of Performa and Sadler_s Welles

Jesper Just, True Love is Yet to Come, 2005, Photo Paula Court

Performa Intonarumori Orchestra, A Performa Commission for Performa 09

Carrie Mae Weems, The Considered, See Bergmann, from Essay on Equivalents 2011. Courtesy of the artist and Jack Shainman Gallery

Performa Institute for Performa 11

Taisha Paggett, Andre LePecki, Xavier Le Roy, Kelly Nipper and Roselee Goldberg at Not For Sale Dance and Conceptual Art in the Visual Arts, 2007.

Writing about New Media and Performance with Cay Sophie Rabinowitz, Margo Jefferson, John Rockwell, Bennett Simpson, and Linda Yablonsky at New York University

통해 초대한 작가들은 시각적 작업의 결과물을 통해 관객의 가슴속에 다가가는 이들이며 퍼포마의 의뢰를 통해 다시 새로운 방향을 가지게 된다. 이러한 도전은 위험에 대한 부담이 크지만 그것을 감수하고, 아티스트의 상상력을 믿고 실행한다.[5] 작가들은 자신들의 작업이 힘있고 지성적이면서도 예술적으로 혁신적인 라이브 퍼포먼스임을 드러내야하며 초연되어야한다는 조건이 있다. 라이브 퍼포먼스(Live Performance)라는 장르에서 예술적 비전을 확장하고 창작활동을 격려 받는다. 작가들은 장소나 예산에 제한을 전혀 받지 않으며 작품에 대한 새로운 도전을 할 수 있다. 2009년 한국의 정연두 작가도 초대되어 '시네 매지션'(Cine Magician · 영화 마술사)이라는 작품을 처음 공연했다. 마술사 이은결씨가 무대에서 마술을 하고, 그 모습을 촬영하는 사람들의 모습과 그들의 카메라 속에 담긴 모습을 동시에 보여주었다.[6]

하나의 위원회(commissioning agency)이자 프로덕션으로서의 퍼포마는 예술가들에게 지원시스템을 제공한다. 초기 작업 제안과 더불어 오프닝 행사, 투어 등 영리기구가 제공하는 것과 대응하는 수준의 관리도 지원한다. 프로덕션으로서의 퍼포마는 유연하고 즉각적인 프로세스를 개발시켜 세계적인 수준의 비엔날레로서의 범위와 규모의 다양성을 추구하고자 한다. 이외에도 뉴욕의 주요 예술기관과의 공동기획으로 제작되는 '퍼포마 프로젝트(Performa Project)', 이미 제작되었으나 퍼포마를 통해 뉴욕에서 초연하는 작품들만을 모아 선보이는 '퍼포마 프리미어(Performa Premiere)'가 진행되었다.

20세기와 21세기의 예술사 내에 위치시키고, 시각예술과 문화사 내의 특정영역에 대한 이해와 지식을 확장하기 위한 동시대적인 교육플랫폼을 제공하는 것이다. 1년간 상시 진행되며 퍼포마의 씽크탱크로서 공공프로그램 운영, 학술 컨퍼런스, 온-오프라인 출판, 국제 큐레토리얼 프로그램과 연구에 대한 기록보존기능을 담당하고 있다. 현대미술을 둘러싼 새로운 문화를 구축하고 일련의 역사적 연구에 초점을 맞춘다. 예술가, 큐레이터, 저술가들이 각자의 경계를 넘어 만나는 것을 장려한다. 2011년 퍼포마에서 구체적인 형식을 갖추게 된 인스티튜트는 뉴욕대학교[7]를 파트너로 한 퍼포먼스 예술프로그램을 공공을 대상으로 프로그램을 진행했다.

비엔날레가 진행되는 기간 동안만 운영되는 '퍼포마 허브'는 안내소의 역할과 함께 '퍼포마 인스티튜트'의 리서치와 교육을 담당하는 커뮤니케이션 장소다. 2012년에는 '벽이 없는 전시장(Pavillion without Walls)'이라는 타이틀로 특정 국가의 퍼포먼스를 조명하는 프로그램을 신설하여 노르웨이와 폴란드의 작업을 선보이기도 했다. 뉴욕 내 기관과의 네트워크뿐 아니라 국제적인 네트워크를 활용해 비엔날레의 성장을 도모하기도 한다.

또한 퍼포마의 기록보존 기능을 하는 온라인 매체도 다양하게 존재한다. 매거진은 학제를 넘나들며 동시대 퍼포먼스에 집중한다. 수많은 자료들, 짧은 에세이, 인터뷰, 비디오, 오디오 등이 다양하게 기록, 저장되어 있다. 일회성으로 진행되는 퍼포마 비엔날레를 영구적으로 역사 속에 재정의하기 위해 다양한 매체들을 다각적으로 활용하면서 대중과 국제예술계의 지속적인 관심을 끌어들인다.

퍼포마 인스티튜트, 매거진(PERFORMA INSTITUTE, MAGAZINE)

퍼포마는 퍼포먼스에 대한 기초적인 이해와 함께 더 깊이 있는 참여를 조성하기 위해 퍼포마 인스티튜트라는 기구를 운영한다. 동시대미술의 퍼포먼스와 그 역할을

퍼포마17(PERFORMA 17: NOV 1-19, 2017)

드디어 퍼포마의 해가 밝았다. 올해 뉴욕은 또다시 독보적인 퍼포먼스 비엔날레를 관람하기 위한 예술애호가와 아티스트들이 모여들 것이다. 25명의 큐레이터와 40

---

5) 레나타 페트로니(전미공연예술네트워크 국제교류프로그램 디렉터), 퍼포마 예술감독 로즈리 골드버그 인터뷰, 예술경영, 2014년 1월 23일, NO.244.
6) 《뜨는 젊은 작가 7인 통해 현대미술 트렌드 엿보다》, 한국일보, 2009.06.22.
   《공연일까 미술일까 '공연이며 미술이다'》, 경향닷컴, 2009.10.28.
7) New York University's Steinhardt School of Culture, Education, and Human Development's Department of Art and Art Professions.

여 개의 파트너, 1년 간 진행되는 교육프로그램이 진행될
것이다. 또한 호주, 프랑스, 이태리, 노르웨이, 폴란드, 스
페인, 이스라엘 등 국가들과 국제적인 문화적 연대를 통
해 세부 영역들의 예술가들이 퍼포먼스 작품을 창조하도
록 지원할 것이다. 퍼포마는 지난 10년간 21세기 현대예
술의 국제무대에서 눈에 띄는 영향력을 발휘했으며, 퍼
포먼스와 퍼포먼스 아티스트에 대한 인식에 대한 지평을
확장했다. 퍼포마는 퍼포먼스에 대한 광범위한 시각을
제공하면서도 공적 가치가 있는 것들을 선택한다. 지난
10년간, 450여 명의 아티스트들이 11,000명의 관객에게
새로운 방식의 퍼포먼스를 선보였으며 새로운 방식의 예
술적 교감을 탄생시켰다. 뉴욕의 퍼포먼스 아트 플랫폼
이 되고자했던 퍼포마의 실험은 아직도 진행 중이다.
　퍼포먼스는 그 단어자체로 초국가적이며 초학제적
이며 다언어적이다. 그런 의미에서 퍼포마는 인간으로
서의 보편적인 고민을 담는 그릇일 수 있다. 퍼포먼스
는 이미 이루어진 것(thing Dong)일 수도 있고, 하나의
대상(Object)이거나, 하나의 상품(Product), 혹은 성취
(Accomplishment)일 수도 있다. 퍼포먼스는 항상 관객
을 필요로 하는 예술형식이지만, 항상 예술일 필요도 없
으며 그것은 오직 "실재(real)"에 대한 재구성이다.[8] 2017
년 11월의 뉴욕의 가을을 기대한다.

사진 www.performa-arts.org

8) Taylor, Diana, Trans., Levin, Abigail, Performance, Duke University: Durham and London, 2016.

베를린의 아시아 현대미술 플랫폼

논 베를린(NON Berlin)

베를린 미테 지구에 한국인이 운영하는 예술 공간이 존재한다는 말을 떠나오기 전, 서울에서부터 들었다. 공간의 이름은 논 베를린(NON Berlin). 베를린의 중심부에 있는 유일한 아시아 예술 공간이 베를린을 부정하고 있다니. 현재 한국에서 가장 주목하고 있는 예술도시인 베를린에서 한국 전시 공간이 있다는 소식을 접한 이들이 으레 가지고 있을 법한 기대를 비트는 이름이라는 생각이 들었다. 호기심이 이에 비례하여 발동하였다. 묻고 싶은 질문이 많아졌다.

베를린 현지에서 논 베를린 디렉터 신이도와 최찬숙을 만나 직접 들은 답변은 오히려 훨씬 풍부한 스토리를 가지고 있었다. 논 베를린의 '논(論)'은 공자의 논어, 즉 '논하다'라는 의미에서 비롯됐고, 유럽 현대미술의 중심에서 아시아 현대미술 담론(discourse)을 생산하고자하는 포부로 2014년에 문을 열었다고 한다. 디아스포라의 도시이자 아방가르드한 현대 미술 실험에 관대한 베를린이지만, 애석하게도 아시아의 컨템포러리 예술에 대한 관심이 아직은 절대적으로 부족했다. 현실적으로 동양인 예술가가 유럽에서 자신의 목소리를 온전히 낼 수 있는 예술적 성취를 해내는 것은 모국에서보다 배로 힘이 들어가는 일이다. 또한 베를린은 워낙 많은 프로젝트들이 한꺼번에 열렸다가 금방 관객의 기억 속에 묻혀버리는 도시이기에 정체성을 유지하면서도 동시에 관객에게 어필해야 하는 이중과제가 예술 공간에게 주어진다.

논 베를린의 대표 프로그램은 퍼포먼스 프로젝트 "NON論DA多{PLAY}" 시리즈이다. "논다(play)" 시리즈의 기본적인 모토는 현대 아시아 미술 담론을 형성하는 렉처 프로그램이지만, 참여 아티스트들은 말 그대로 '놀이를 하듯이' 자유로운 퍼포먼스를 펼친다. 관객들은 직간접적으로 퍼포먼스에 참여한다. "NON論DA多{PLAY}" 시리즈는 현재까지 일곱 번이 진행되었고, 그중에서 가장 인기가 높았던 시리즈는 두 번째로 진행된 "더 김치 세션(The Kimchi Session)"이다. 한국 아티스트 양진우와 디렉터 신이도, 그리고 네 명의 타악기 연주가들로 구성된 '심포닉-퍼커션 베를린(Symphonic-percussion Berlin)'팀이 참여했다. 한국 남자 두 명이 김장을 위한 마

NON Berlin, NON 論 DA 多 {PLAY} #7, 13 August 2016

NONDA_NONBERLIN

Kimchisession_Berlinfoodartweek

늘을 빻고 무를 써는 동안, 퍼커션 팀이 타악기와 도마와 칼을 활용해 리듬과 사운드를 만들어내면서 관객의 뜨거운 반응을 이끌어냈다. 퍼포먼스의 참신함과 한국 음식 문화에 대한 관심, 그리고 요리와 예술의 협업이라는 트렌드가 적절히 반영되어 성황리에 마쳤다. 이후에 베를린 푸드 위크(2015)에 특별히 초청되어 앙코르 세션을 선보이기도 했다.

일곱 번째 논다 시리즈 "러브! 더 히든 보이스(Love! The hidden voice)"도 흥미롭다. 스위스와 독일 등 유럽에서 활동하고 있는 한국인 무용가 장수미와 사운드 아티스트 미리엄 지벤슈태트(Miriam Siebenstädt), 그리고 공간 디자이너 김재경의 협업 퍼포먼스였다. 아직까지도 아시아 여성이 사회에서 큰 목소리를 내는 것이 터부처럼 여겨지는 모순점에서 작품이 구상되었다고 한다. 퍼포먼스가 시작되면 그녀는 말 그대로 '있는 힘껏' 소리를 질러댄다. 온몸이 탈진할 지경까지 목청껏 소리를 지르며 관객들과 함께 호흡한다. 사운드 아티스트는 이에 맞추어 사운드를 뽑아내는데, 여기서 줄톱, 놋쇠그릇, 바이올린 현 등의 오브제를 동원한다. 이것들은 전형적인 악기가 아니며 일상 속에서 특정한 기능만을 담당하는 것들로서, 평소에는 제 모습을 면밀히 찾아보기 힘들다. 그런 도구들이 자아내는 사운드와 사회와 일상에서 여성의 목소리가 병치되는 과정 역시 의미심장하게 다가왔다. 바로 이 시리즈로 논 베를린은 2016년에 처음으로 베를린 프로젝트 스페이스 페스티벌에 참여했다. 베를린에서 몇 백 개에 달하는 예술 대안 공간 중 서른 개만 티켓을 받을 수 있는 이 축제에 참가하는 것은 모든 공간들의 로망이다. 그런 점에서 참여한 공간 중 유일하게 아시아성을 논하고 있는 논 베를린의 참여는 그들의 쾌거이자 우리의 자랑이다.

논 베를린의 모토는 '아시아 현대미술 플랫폼'이다. "현대미술에서 아시아성이라는 것은 무엇인가?" 혹은, "아시아 현대미술이라는 것이 있다면 무엇인가?"라는 화두를 던지고, 항해하는 과정 중에 있다. 다만, 단순히 '베를린 속 한국 예술 커뮤니티'로 정체성을 제한하는 오류는 피하고자 한다. 이를 오류라고 표현하는 이유는, 국제무대에서 국가 간 예술 교류를 목적으로 출범했던 시도들이 정체성과 관련한 특유의 순결성을 고집하면서 다시

하나의 새로운 섬으로 고립되는 사례들을 종종 목격했기 때문이다. 논 베를린은 베를린을 비롯한 유럽과 한국을 포함한 아시아간의 교류에 관심이 있다. "아시아 아트 토크 쇼 2016(Asian Art Talk Show 2016)"는 이런 화두를 집약적으로 다룬 행사로서, 뾰족한 결론과 합의를 도출하는 자리라기보다 아시아 현대미술과 관련한 담론을 생산하려는 논 베를린의 초기 목적에 부합하는 시간이었다. 아시아 현대미술이 유럽으로 건너온 배경과 역사가 먼저 언급되고, 현대 베를린의 미술관과 미술협회 등에서 아시아 현대미술이 어느 정도 위치와 영향력을 발휘하고 있으며, 현대미술에서 아시아성이 어떻게 재현되고 있는지에 대한 내용들이 논의되었다.

최근 논 베를린은 한국과의 교류를 확장하고 네트워크를 촘촘히 하는 데에도 많은 관심을 기울이고 있다. 그 성과 중 하나가 작년부터 시작된 경기창작스튜디오 협업 아티스트 레지던시 프로젝트이다. 경기창작스튜디오에서 아티스트를 선별하면 논 베를린은 베를린에서 작가의 입주공간과 전시 등 작업발표를 지원해준다. 해외 무대에 항상 목말라있는 국내 작가들에게 좋은 기회라고 생각한다. 첫 입주작가는 구나(GuNa) 작가로서, 한 달의 레지던스 기간을 거친 뒤 작년 11월 논 베를린에서 <My black brown> 전시를 선보였다.

요즘에는 아시아 현대미술에 대한 서구의 인식이 좀 나아졌다고들 한다. 문화연구에서는 동시대가 포스트-포스트 제국주의 시대, 탈 오리엔탈리즘의 시대라고도 규정한다. 그러나 정작 현대미술의 본거지이며 주 무대라고 하는 북미와 유럽의 아시아에 대한 고정관념은 여전하다. 혹자가 "그럼 도대체 진짜 한국 현대미술은 뭔데?"라고 묻는다면 다시 할 말을 잃게 된다. 매듭이 잔뜩 얽힌 도돌이표 질문에 대해서 최근 한국현대미술은 탈출에 대한 치열한 의지를 보이지 않았다. 동시대성의 물성을 담론으로 규정하는 것이 가능하냐고 묻는다면, 수입된 서양미술로 시작된 한국미술의 정체성 연구를 포기할 단계는 아니라고 답하고 싶다. 예술가들에게 해외 교류에 대한 희망을 넘어 일종의 의무가 주어진 시대이다. 논 베를린과 같은 공간들이 소중할 수밖에 없다. 다만 지속성에 있어서 경제적인 인프라가 담보되지 않는 것은 국내,외를 막론하고 대안 예술 공간들이 가지는 영원한 딜레마이다. 부디 논 베를린이 크고 작은 역경을 모두 물리쳤으면 한다. 얍!

NON-Outside

전시취재

제16회 에르메스 재단 미술상, 정금형 〈개인소장품〉리뷰

"정금형의 작업에 관한 이야기"

〈베를린 아트위크(Berlin Art Week 2016)〉를 가다

대안공간의 퍼포먼스

임근준 AKA 이정우
(미술·디자인 평론가) crazyseoul@me.com

제16회 에르메스 재단 미술상, 정금형 〈개인소장품〉 리뷰

정금형의 작업에 관한 이야기

이 글은 '정금형(1980-) 작가론'이지만 수행적 작업을 전개하는 이를 현대미술의 관습에 따라 고찰하면, 특정한 측면만을 강조하게 되거니와 한창 유동적으로 전개되는 작업 세계를 특정 시점에 유동하지 못하는 평문으로 포착하여 상당히 효율이 떨어지는 비평이 될 수 있다. 따라서, "정금형의 작업에 관한 이야기"는, 크게 두 가지 관점에서 두 가지 이야기를 제시하고자 한다. 하나는 그의 작업 세계가 성장한 과정을 계열적으로 추적하고, 다른 하나는 그의 육체 인식과 활용 방식을 역사적 관점에서 고찰하는 것이다. 두 이야기는 상당히 이질적이지만, 가면의 앞과 뒤처럼 실은 필연적으로 맞물려있는 하나의 대상을 다룬다.

1. 정금형의 작업 세계가 성장한 과정과 그로 인해 형성된 계열적 구조

2009년, 처음으로 정금형을 소개할 때, 나는 이렇게 적었더랬다.

"무대예술가 정금형은, 진공청소기 따위의 사물과 제 몸을 마주 놓은 채, 애욕(愛慾)의 몸짓을 하나하나 개발해낸다. 말이 되지 않는 상황에서 말이 되는 상황을 도출하기 위해, 그는 다소 황당한 (그러나 언제나 간결한) 해결책을, 진지한 자세로, 하나하나 마련해나간다. 당연, 해결책은 또 다른 문제를 낳고, 문제는 다시 (문제적) 해결책을 결론짓는다. 작가는 그렇게 이어지는 좌충우돌의 우회적 우화(迂廻的 偶話)를 그러모아 한 편의 무대극을 구성한다. 그런데, 이렇게 프랑켄슈타인의 육체처럼 짜깁기된 극의 실체는, 무용극도 아니고 연극도 아니다. 쉽게 말하면, '인형 대신 몸을 주인공으로 삼는 (전치[轉置]된) 인형극'이라고 할 수 있지만, 그것은 형태적 결과일 뿐, 작업에서 작가가 미적 목표로 삼은 바는 아니다. 문제의 핵심은, 작가의 몸짓이 주체와 타자 사이의 전통적 위계를 희롱하는 데 있다.

정씨의 몸이 전유(appropriate)하는 주된 방법은 마임과 인형극의 것이지만, 환영(illusion)의 효과를 노리는 마임이나 인형극과는 질이 조금 다르다. 관객에게 그럴듯한 환영을 제시할 의지가 없는 작가는, 자신이 설정한 가

[아뜰리에 에르메스] 제16회 에르메스 재단 미술상, 정금형 개인전_전시전경사진

상적 주체—페르소나(persona)라고 봐도 좋겠다—를 위한 마임과 인형놀이를 지속할 뿐이다. 따라서, 작업실 등의 공간—미적 판단이 유예되는—에서 진행한 비공식 공연의 기록물을 보는 편이, 극장에서 정식 공연을 보는 것보다 흥미롭다. 안타깝게도 극장에서 관객과 작가와 작가의 작품은 심하게 상충한다. 예컨대, 의도치 않은 해석이 이뤄져 객석에서 웃음이 터질 때, 갑자기 작품은 개인적 판타지의 노출극으로 전락한다. 하찮은 일기장을 훔쳐 읽는 듯, 미적으로 불쾌한 순간이 아닐 수 없다. 하지만, 아직 속단하기엔 이르다. 이러한 충돌의 지점 또한, 앞으로 어떻게 작업의 내적 요소로 (재)통합될지 알 수 없기 때문이다.

단언컨대, 정금형은 기대의 눈길로 지켜볼만한 우려주(憂慮株)다. 유행과 무관한 주제를 원점에서 고찰해가는 진지한 태도, 금치산자 같은 감정의 검열 없는 표현, 스스로 설정한 가상적 상황에 몰입하는 온도 낮은 집중력 등은, 정금형의 매력이자 장점으로, 요즘 보기 힘든 미덕이다."

정금형은 2002년에 호서대학교 연극영화 학부를 졸업했고, 2006년에 한국예술종합학교 무용원 실기과 전문사 과정을 졸업했다. 2004/2005년작 <피그말리온>으로 시작해 2007년작 <진공청소기>를 거쳐 2008년에 <금으로 만든 인형>과 <유압진동기>를 제작하고, 2009년에 이르러 <7가지 방법>으로 지금까지의 작업을 총괄하며 현대예술계 전반에서 문제적 작가로 각광을 받기 시작했다. 소품 연작을 하나로 묶어서 보다 큰 구조의 작품으로 발전시키는 방법을 모색하는, 꾸준한 성장의 과정이었다고 할 수 있다.

<금으로 만든 인형>이란 제목으로 작업을 선뵐 때 작가는 "오르가즘에 집착하는 6가지 방법"이라는 부제를 붙였었는데, <7가지 방법>은 그 부제를 소재로 삼아 제작한 확장판 소품집이었다. 다음은 당시의 작가 해설의 일부다 :

"이번에는 제목을 바꾸지 않으면서 바꾸기 위해 "6가지 방법"에 주목했다. 신작이 아니면서도 새로운 공연이 될 수 있는 제목이어야 한다고 생각했기 때문이다. 그러다

가 6가지 방법에 한 가지를 덧붙이기로 했다. 새로 자라난 가지에서 등장하는 배우는 로봇 청소기다. 그런데 의도치 않게도 7이라는 숫자는 6이라는 숫자보다 개선된 느낌을 준다."

소품을 연결해 더 큰 구조를 만드는 방법도 설명했다:

"<금으로 만든 인형>은 일종의 '자라나는 콜라주'이면서, 따로 제작된 작품들을 수정하고 연결해서 만든 임시변통의 드라마지만 일관된 구조가 없지는 않다. '인형의 조종자로 등장하는 여자가 자위행위의 다양한 방법을 소개한다'는 형식이 각각의 작은 드라마를 다스리기 때문이다."

초기작의 핵심은 '간단한 장치들을 활용해 내 몸의 움직임을 바탕으로 살아 움직이는 것 같은 타자의 캐릭터를 도출-구현하고, 그 타자와 기승전결의 사랑을 나눈다'는 데 있었다. 2009년에 작가를 소개하는 글에서도 설명했듯이, 몸의 일부에 가면을 덧대고 애무를 주고받는 장면에선 마임의 전통이, 진공청소기에 얼굴을 붙여놓고 성교를 나누는 장면에선 인형극의 전통이 확연히 드러났다. 그렇다면, <7가지 방법>을 발표할 당시, 작가는 어떻게 제 작업의 핵심을 설명했을까.

"꼭두각시를 부리는 이(puppeteer)는 행위자인 동시에 관조자가 되는 법이다. 인형을 부리는 간접적 연희자인 그는 인형을 바라보는 특별한 관객이 됨으로써 인형과 2중의 관계를 맺는다. 제 역할을 둘로 나눠 각각에 모두 집중해야하는 인형극의 배우는 한 명이면서 두 명이고 두 명이면서 한 명이다. 그런데 이러한 분열적 집중은 꼭두각시의 세계가 아닌 일상에서도 자주 행해진다. 예를 들면, 자위행위가 그렇다. 자위하기 위해 제 몸에 손을 얹을 때, 많은 이들은 '누군가 나를 만지고 있다'는 가상적 설정에 집중한다. 그리고 어떤 이들은 자위의 쾌락을 증대시키기 위해 인형을 동원한다. 부자연스럽게 자연스러운 선택이 아닐 수 없다. 기실 홀로 하는 성행위와 둘이서 (혹은 그 이상) 하는 성행위는 명확하게 구분하기 쉽지 않다. 자위의 과정에서 행자가 혼자이면서도 혼자가 아니라면, 2인 이상의 상대와 함께한 성행위에서는 누구나, 오르가즘을 느끼는 순간, 혼자가 되기 때문이다. 동시에 오르가즘에 도달했다 해도, 그것은 시간적 동조에 불과할 뿐, 쾌락은 몸이라는 개인의 범주에 국한된다."

하지만, 최근엔 이리 말을 바꾸기도 했다:

"저는 제 작업이 일종의 애니메이션이라고 생각하곤 해요."

2011년 정금형은 한국영화아카데미 연출과를 애니메이션 연출 전공으로 졸업한 바 있으니, 영상 연출과 애니메이션을 공부하는 과정에서 제 작업을 이해하는/전개하는 방식에 하나의 층위를 더 추가하게 된 것일 터.

2008년 굴삭기 운전 자격증을 취득한 정금형은, 굴삭기와의 성교를 안무해내는 일에 도전한 결과를 추려 <유압진동기>를 발표 했다. <유압진동기>는 동영상 상영과 무용 시범을 포함한 강연 형식으로 발표됐기에, 조사·연구에 기반을 둔 작업의 장점과 단점을 동시에 드러내는 후반기 작업(포스트프로덕션)의 실험이 되기도 했다.

자신의 작업을 해설하는 방식으로 퍼포먼스를 구성해 수행하다보면, 저 자신의 작업 세계를 낯설게 고찰하는 법. 2011년 작 <비디오카메라>는, 그러한 시점 전환의 영향이 반영된 작업으로 간주해볼 수 있다. 뷰파인더의 시점과 공연자의 시점과 관객의 시점을 엮는 작업을 통해 기존의 시점 교환 구조를 새로이 업데이트해냈지만, 공연에 최적화된 양식의 게임이었다고 보기는 어려웠다. (지금 돌이켜 생각하면, <비디오카메라>는 라이브로 보는 텀블러 노출 영상 같았다. [작가의 입장에서 느끼기에도, 관객의 반응 온도에 편차가 컸던 작업이라고 했다.]) 따라서 2012년에 제작된 <레코드 스톱 플레이>는, <비디오카메라>에서 완전히 해결하지 못한 기계적/사물적 시점의 구현이라는 과제를 간단한 스톱 애니메이션의 제작 과정을 수행적으로 처리함으로써 우회-해결해낸 결과물처럼 뵈기도 했다. (따라서 현재, 두 작품은 일종의 세트로 독해되기도 한다.)

2011년작 <휘트니스가이드>에서 정금형은, 에어로빅이나 요가용 공간처럼 연출한 소극장의 한가운데를 비워 놓고, 주요 운동기구를 공간의 사방에 배치해 놓은 채, 신체 단련 교습을 빙자해 기계와 성교의 게임을 펼쳐나갔다. 이 작업은 작가가 장소에 대한 비평적 인식을 또렷이 드러낸 첫 작업이라는 점에서, 또한 기존재하는 수행 프로토콜—특정 장소에 연루된—을 전유해 재맥락화하는 메소드를 확립한 첫 작업이라는 점에서 중대 전환점으로 간주될 수도 있다. 또한, <휘트니스가이드>는 인간의 형상을 띠지 않은 사물을 의인화/동물화(動物化, animate)하는 능력을 과시하는 데 있어서도 정점을 이룬 작업이기에, 이후의 작업에서 규준점으로 노릇하는 바가 없지 않다. <휘트니스가이드>와 2010년의 협업작 <기술적 문제>를 통해 방법론적 도약을 이룬 정금형은 서사에 기반을 두고 작업하지 않음에도 서사적 양태를 취해 드라마를 이끌어나갈 수 있게 되었다. 2013년 작 <심폐소생술연습>에서 작가는, 심폐소생술 실습용 더미(인형)가 성교 중 심정지를 맞은 상황을 연출해 비극(복상사 사망극)을 꾸며냈고, 2015년작 <재활훈련>에선 마비 환자가 된 더미가 어떻게 재활훈련 기구들을 통해 '재활'될 수 있는가를 탐구해 '인간 승리'의 드라마를 제시했다. 한데, 이렇게 작업이 차곡차곡 쌓여나가자, 각 작업에서 구현된 타자로서의 '그'를 다시 연결해 메타-분석하는 비평적 관객들이 나타났다.

대표 사례가, <재활훈련>을, <피트니스 가이드>와 <심폐소생술연습>의 프리퀄로 받아들이는 해석이었다(재활훈련을 통해 운동 능력을 되찾은 남자가, 피트니스 가이드에서 여러 명으로 현현하지만, 결국 성교중 심정지로 사망하는 이야기라는 식). 다른 한편에선, 남성의 캐릭터와 여성의 캐릭터가 맺는 관계를 뒤집고 또 뒤집는 성차 실험으로 해석하는 이도 나왔다. 이에 대한 작가의 생각은 어떨까.

"기본적으로 제 몸은 주인공이 돼야 하는 사물을 살아 움직이는 것처럼 이끄는 도구이자 동력이에요. 제 역할도 1차적으론 작동을 책임지는 오퍼레이터죠. 극장의 무대 기계 장치들이나 다름없는 기계의 역할을 맡습니다만, 어쩔 수 없이 여자의 몸을 대전제로 받아들여야 하는 상황이라고 할까요."

그렇다면, 정금형의 작업은 페미니즘의 성차 비평에 부합하는 것일까? 작가가 기계들로부터 도출해내는 캐릭터는 주로 남성이지만, 꼭 언제나 남성이었던 것만은 아

니다. 그리고, 퍼포머인 그가 아무리 최선을 다해 노력해도 남자 주인공들은 결국 타자화된다. 반면, 그 자신이 연기하는 여성 캐릭터는 타자화 되어 있지만 실제론 여성인 그가 거의 전권을 쥐고 있는 상위 주체로 강조될 수밖에 없다. 정금형의 수행 작업을 페미니스트적 2차 창작으로 해석할 수도 있다. 주로 남자를 전제로 한 레디메이드 사용자 인터페이스 환경에서, 작가는 여성 사용자로서 수동적으로 공격적인 태도를 취해, 인간과 사물의 관계를, 그 관계가 상정해놓은 사용자 경험의 서사를 뒤틀어 새로운 파라-리얼리티(para-reality)를 직조해내기 때문에. 공연을 반복 때마다 작가는, 기성 사회가 제공한 여성이라는 범주와 여성 예술가에게 허락됐던 역할에서 이탈하는 것으로 보인다.

작가의 답은 이렇다:

"사물과 인간이 관계를 맺는 일련의 과정이나, 그걸 독해하는 사회의 방식에 성차가 있다고는 느껴요. 그게 제 작업에 영향을 미치는 것도 분명합니다. 하지만, 여성이라는 디폴트값이 제 작업에 한계가 된다고 생각해본 적은 없어요. 제게 제약은 대체로 새로운 게임을 시작할 수 있는 가능성의 발판이 되니까요."

정금형이 안무한 작업을 남성 퍼포머가 공연한다면, 어떻게 보일까? 본인이 아니라, 다른 여성 퍼포머가 공연하면 어떻게 다를까? 본인 외의 퍼포머가 등장하는 작업은, 2016년작 <소방훈련시나리오>다. 특정 장소-상황에서의 행동 요령을 가르치고 안내에 따른 인지적 이격과 실제적 이동을 강제해낸다는 면에서, <소방훈련시나리오>는 아틀리에 에르메스에서 열린 개인전 <개인소장품>(제16회 에르메스 재단 미술상 수상 기념전, 2016)에서 전개한 <가이드 투어>(2016)에 고스란히 영향을 미치기도 했다. 작가의 미니 회고전이 된 2016년의 <개인소장품>을 독해하면, 그가 레디메이드 제품들을 수집해 재해석하는 과정이, 레디메이드 사물들의 인터페이스 기능을 조사-연구하고 비정상적으로 전유하는 일에 다름 아니었다는 사실을 깨달을 수 있었다.

"갤러리 곳곳에 부착된 모니터에선, 제 공연 영상과 함

께 몇몇 제품들의 정상적 사용 방법을 담은 튜토리얼 영상이 반복 상영됩니다. 하나의 인터페이스를 놓고 펼쳐지는 두 가지 세계를 평행우주처럼 보셔도 좋고, 또 본인만의 사용법을 상상해보시거나, 실제로 본인이 소장한 물건과의 새로운 조우를 시도해보시면 좋지 않을까 합니다."

개인전 <개인소장품>에서 주인공은 작가가 수집한 사물들이었지만, 강조되는 것은, 작가의 판별하는 눈과, 수행하는 몸과, 사물과 인간의 관계를 재설정하는 방법이었다. 흥미롭게도 작가는, 이 세팅을 바탕으로 새로운 수행 작업을 전개했다. 작가 본인이 도슨트가 되어 전시 물품을 해설하는 방식으로 퍼포먼스를 벌인 것. 미술사의 차원에서 보면, 정금형은 이를 통해 관계성 이후의 상황에 부합하는 의사-제도 비평적 수행성을 구현해낸 셈이다.

정금형은 극장용 퍼포먼스와 화이트큐브용 퍼포먼스로 극장계와 미술계 양쪽 모두에서 널리 인정받은 뒤, 수집한 오브제의 전시를 통해 '미술관적 효과(뮤제알 이펙트)'를 부리며 자신의 현존과 성취를 강조해냈다. 따라서, 앞으로는 제 작업의 한 가지를, 영상이나 애니메이션으로 본격화해 외연을 확장할 수도 있을 것이고, 또 관계성 이후의 비평적 상황을 이용해 문화적 인간 조직의 행위 프로토콜을 작업의 몸통으로 삼아 이리저리 변주할 수도 있을 것이다. 어쨌거나, 지금까지 정금형의 작업 세계에서 핵심이 되는 것은, 몸에 대한 새로운 인식을 바탕으로 한, 비평적 수행성의 구현이다. 하면, 정금형의 이러한 육체 인식과 활용엔, 어떤 역사적 의의가 있을까?

2. 역사적 관점에서 (재)고찰한 정금형의 육체 인식과 활용 방식, 그리고 그 의의

제2차 세계대전 종전 후, 현대무용이 새로운 질서로 전개되는 과정에서 두드러진 '추상으로의 추동'을 돌아보면 의외로 추상성에 대한 논의가 상당히 부족했고 인식론적 혼선이 빚어졌다는 사실을 알 수 있다. 양차대전 사이 서유럽 현대예술계에서 대두했던 '자연으로부터 도출해낸 추상', '정신적 추상', '탈자연의 추상', '기계를 의태하는 추상', '산업자본주의에 비평적으로 대응하는 추상' 등의 문제에 뒤늦게 화답하려는 욕망이 존재했다. 이와 더불어 물질, 사건의 현장이자 동력원으로 기능하는 몸을 재발견하는 현상학적 자각이 동양적 '선'이나 극단적 아나키즘, 플럭서스와 상황주의 등의 아방가르드적 메소드와 뒤섞였다.

마사 그레이엄(Martha Graham, 1894-1991)은 젊어서는 피카소와 초현실주의자 세대의 현대미술에 큰 영향을 받았지만, 자신이 창안해낸 메소드를 총정리한 말년의 전성기엔 추상표현주의 미술가들의 성취에 큰 자극을 받아 무대를 캔버스로 이해하고 허공에 추상화를 구현했다. 또한, 존 케이지의 평생 연인이었던 머스 커닝햄(Merce Cunningham, 1919-2009)은 현대무용계의 선각자였다. 그는 전후 현대미술의 핵심이었던 우연성의 활용, 공백을 제시하는 인식의 대전환, 테크놀로지와 육체언어의 접목 등의 기초 과제를 정확히 인식하고 구현했다. 반면, 폴 테일러(Paul Taylor, 1930-)는 로버트 라우션버그, 재스퍼 존스, 엘스워스 켈리 등과 교유하며 보다 진일보한 추상미술의 핵심을 받아들였고, 실재하는 동작을 '발견물(found object)'로 취한 다음, 원래의 맥락과는 다르게 재구성하는데 남다른 재주를 보였다.

몸은 균질화와 변형이 불가능하기 때문에, 미니멀리즘이 대두하는 시기에 이르면 묘한 상태에 봉착한다. 샐리 그로스(Sally Gross, 1933-2015)나 이본느 라이너(Yvonne Rainer, 1934-) 같은 미니멀리스트 안무가들은, 이미 제도 비평적 장소성에 어느 정도 영향을 받았으나 무엇을 의미하는지를 명확하게 자각하지 못했다. 현상학적 추상성을 가장 잘 구현해낸 현대무용사의 왕관은 루신다 차일즈(Lucinda Childs, 1940-)의 몫으로 남을 가능성이 높다. 그는 천재적 연출가 로버트 윌슨(Robert Wilson, 1941-), 개념미술의 창시자 솔 르윗(Sol LeWitt, 1928-2007) 등과 협업했다. 또한 그는 음악가들의 미니멀리즘과 문제의식을 공유하고 개념미술가들에게 큰 영향을 받았다. 사물과 육체의 비정상적 조우를 통해 제도 비평적 현존성을 구현하여 시대의 총아로 대접받았던 필립 글래스의 영향 아래, '전유된 요소들의 추상적 반복과 구축을 통한 영상적 서사성의 추구'라는 새로운 방향으로 나아갔다. 때문에, 그는 미니멀리즘보다, 포스트모더

니즘의 개척자로 소개된다. 역사와 이미지의 전유와 활용, 서사성의 본격 회복과 타자적 육체와 육체 언어의 포용이라는 포스트모더니즘의 다원적 가치는 탄츠테아터(무용극)를 창시한 피나 바우쉬(Pina Bausch, 1940-)에 의해 분명하게 구현되었다. 그러나 탄츠테아터가 국제적 반향을 불러일으킨 이후 탈냉전 이후의 현대무용계에서 추상성의 가치는 급속히 망각됐다. 과연 현대무용의 추상성을 기동시켰던 인식론적 전환의 바탕은 무엇이었을까? 현대미술에서의 혁신을 추동한 인식론적 전환을 바탕으로 현대무용의 역사적 궤적을 되돌아보면 흥미롭다.

현대미술의 현대성은 순수한 평면과 매스와 공간에 대한 메타-인식을 전제로 했다. 16세기 이래 유럽에서 현대적 원근법이 형성-발전하는 과정에서, 미술가들은 회화의 접면을 순수평면(pure surface)으로, 조소/조각의 접면을 순수매스(pure mass)로 인식했다. 하지만, 현대적 원근법을 비평적 시점에서 고찰한 것은 1890년대 이후다. 폴 세잔과 같은 화가들을 시작으로 대략 두 세대 이후에 이에 상응하는 의식을 지닌 학자들이 등장했다. 하인리히 뵐플린(Heinrich Wölfflin,1864 ~ 1945)이 1915년 출간한 <미술사의 기초 개념: 근세 미술에 있어서의 양식 발전의 문제(Principles of Art History: The Problem of the Development of Style in Early Modern Art)>에서 16세기와 17세기 미술 사이에 존재하는 질적 전환의 성격을 규명했고 에르빈 파노프스키(Erwin Panofsky, 1892 ~ 1968)는 1927년 출간한 <상징 형식으로서의 원근법(Perspective as Symbolic Form)>에서 현대적 원근법의 역사적 의의와 작동 방식을 규명했다. 또한 알프레드 바 주니어(Alfred H. Barr, Jr.)가 1929년 뉴욕 현대미술관의 첫 전시로 기획한 <세잔느, 고갱, 쇠라, 반 고흐(Cézanne, Gauguin, Seurat, van Gogh)>에서는 유럽현대미술의 역사를 재고찰하면서 현대적 미술에 대한 비평적 관점을 공유하게 된다. 16세기 이래 현대적 원근법이 형성된 과정과 그 의의를 비평적으로 재인식하는 과정에서 순수평면을 메타 고찰의 공간으로 상정하였고 이러한 인식론적 전환은 즉각적으로 모더니즘을 추동해냈으며 현대미술의 다양한 성취가 이어졌다. 북미에서는 화이트큐브에 부합하는 새로운 현대적 미술로서 추상표현주의와 색면추상, 미니멀리즘이었다.

그렇다면 현대무용가들은 어떤 인식론적 전환을 경험

했을까? 순수평면으로서의 무대를 재인식해 비평적 풍경을 이루는 동시에, 순수매스로서의 육체가 추상적 덩어리가 되는 안무를 시도한 이는 바로, 마사 그레이험이다. 그렇다면 무대나 공연 장소를 순수공간으로 재인식해 새로운 현상학적 전환을 시도한 이는 누굴까? 샐리 그로스와 이본느 라이너다. 작업 과정의 추상적 재인식을 통해 새로운 안무를 구현해낸 이는? 바로, 루신다 차일즈다. 순수인용에 대한 비평적 인식을 전제로 역사적 요소와 대중문화의 요소를 전유해낸 안무가는? 그렇다, 피나 바우쉬다.

무용가의 몸을 테크놀로지와 육체 사이의 순수관계에 대한 비평적 인식을 바탕으로, 논리적 해체의 안무를 구현해낸 이가 있었다. 바로, 윌리엄 포사이드(William Forsythe, 1949-)다. 그는 모던 발레의 문법을 논리적으로 해체-재구성하는 안무를 시도했으며, 공간과 동선에 레이어 개념을 부여해 그 구획을 가시화하는 안무를 시도해 새로운 장을 열었다. 하지만, 인간의 몸은 변용의 폭이 좁고, 또 할 수 있는 동작에도 제한이 있다 보니, 이러한 인식의 확산에 제한이 있었다. 게다가 포스트모더니즘을 다원주의로 오독하는 상황이 거듭되면서, 1990년대 중후반의 현대무용계는 한계 상황에 봉착했다. 이 시점에서 제시된 새로운 판단유예의 전략이, 한스-티에스 레만(Hans-Thies Lehmann)의 포스트드라마틱테어터(post-dramatic theatre)다. 1999년 발간된 동명의 저서에서 그는, 극장의 제도적/물리적 조건을 가시적으로 노출시킨 채, 이를 작품의 주요한 일부로서 적극 활용함으로써, '실시간의 수행성(real-time performativity)'을 실현하는, 메타-서사(무용)극의 창작 경향을, 포스트드라마틱테어터라고 총칭했다. 전통적인 극장 무대를 화이트큐브로 상태에서, 장소적 특정성을 추구하는 척하는 가운데, 인-시투의 비평적 상황을 연출해내는 모든 수법의 재활용을 허용함으로써, 예술과 관객이 마주하는 문화적 프로토콜의 접면을 재창안해내는 것이, 포스트드라마틱테어터의 핵심이었다.

오늘의 현대적 예술가들을 추동하는 인식론적 전환은 무엇일까? 그것은, 레이어를 임베드한 사물, 인간, 공간에 대한 비평적 (재)인식이다. 즉 인간-컴퓨터 상호작용(interaction)을 통해 이미지/오브제 정보를 다루는 과정에서, 사용자-인간(user-human)은 서서히 이미지/오

브제 정보의 층위를 인식하면서 조작 가능한 장으로서의 레이어라는, 새로운 채널 개념을 창출했다. 순수평면으로 인식된 창의 메타 채널화와 중첩이 낳은 귀결이 레이어 혹은 순수레이어 라면, 순수매스로 인식된 객체-공간의 메타 채널화와 중첩이 낳은 귀결이 렌더레이어(혹은 순수렌더레이어: pure render layer)쯤 된다. 하면, 그에 상응하는 새로운 공간은 스마트 기술로 재매개된(remediated) 레이어를 임베드한 공간이 된다. 그렇다면 임베디드 레이어가 레이어와 렌더 레이어에 상응하는 인식론적/개념적 장이라 하겠다. 순수레이어라는 조작 가능한 시각장은, 쉽게 말하면, 두 단계에 걸친 도약을 통해 형성됐다. 방법론이자 상징 형식이었던 현대적 원근법이 HCI 작업 환경으로 재매개되는 길고 긴 과정의 한 국면에서, 거의 동시다발적으로 레이어를 구현-지원하는 소프트웨어-인프라-스트럭처가 확충됐고, 그에 힘입어, 레이어는 방법론적 개념으로서 제1차 도약에 성공했다. 이후 스마트 기술이 폭 넓게 확산하는 과정에서, 레이어의 방법론은, 작업 방식 이상의 의의를 지니는 상징 형식으로서 변조-맥락화되며 새로이 2차적 도약에 성공하고 있다.

그렇다면 순수레이어에 대한 비평적 인식은, 현대무용이나 육체로 전개하는 수행 예술 일반에 어떤 추동을 일으키고 있을까? 아직 그 귀결은 불분명하지만, 중첩된 레이어로서의 육체와 수행 프로토콜을 임베드한 육체를 탐구하는 문제적 작가로 정금형을 꼽을 수 있다는 점은 분명하다. 특정 장소-상황에 연루된 수행 프로토콜을 전유 혹은 수립해 관계성 이후의 시공에 부합하는 작업을 시도해온 작가는, 아직 정금형과 티노 세갈(Tino Sehgal, 1976-)과 타나카 코키(Koki Tanaka,1975-) 정도다. 이들 가운데서도, 레디메이드로서의 사용자 경험을 임베드해 놓은 레이어로서의 오브제와, 레이어로서 재인식된 인간 사이의 관계를, 레이어로서 재인식된 시공의 문제로 종합-탐구하는 인물은, 정금형 하나다. 정금형이 앞으로 어떤 연구 결과를 제시할지는 알 수 없다. 하지만, 그의 행보와 그로 인해 추동될 새로운 세대의 등장을 면밀히 지켜볼 필요는 충분하다. 현대예술계는 여러 차원에서 동시다발적으로 퇴락하고 있지만, 현대예술(가)에겐 탐험해야 할 미지의 영역이 새로이 발견-제시되고 있다.

* 이 원고의 일부는 기존에 발표한 원고 — "당대성의 종말과 오브제의 재인식; 최대한 쉽게 풀어쓴 현대미술의 '오늘'이 깨져버린 이야기"(2016)와 "정금형의 개인 소장품은 무엇을 증명하는가"(2016)와 "[메모] 현대무용의 추상성; 미디엄으로서의 '춤추는 몸'을 통해 구현되는"(2017)을 부분적으로 재활용하고 있습니다. 또한, 그레파이트온핑크 편집부의 편집을 거친 원고임을 밝힙니다.

사진 김태환
kiyong NAM @ Fondation d'enterprise Hermès

조숙현(서울인디예술공간 저자)
newpublicart@gmail.com

〈베를린 아트위크(Berlin Art Week 2016)〉를 가다

2016년 9월 13일부터 18일까지 엿새 동안을 "베를린 아트위크"라고 한다. 베를린 비엔날레의 파이널 기간이고, 베를린의 대표적인 아트페어가 열리며, 베를린 전역의 갤러리와 미술관, 대안공간들이 일제히 앞 다투어 비장의 전시를 오픈한다. 또한 한 장의 티켓으로 여러 전시를 할인된 가격에 볼 수 있는 프로모션과, 아트위크에 맞추어 특별히 준비한 퍼포먼스와 공연 등, 관람객을 위한 이벤트가 풍성하게 열리는 주간이기도 하다. 다음 글은 필자가 베를린에서 엿새 동안 바쁘게 뛰어다니며 보고 들은 경험과 기록의 공유이다.

위기의 베를린 아트 페어_ ABC Art Fair 2016

베를린 아트위크의 시작은 아트페어로부터였다. "ABC 아트 베를린 컨템포러리(ABC Art Berlin Contemporary)" 라고 불리는 아트페어가 그것인데, 2008년부터 시작하여 베를린 아트위크를 주도해 온 행사이다. 그러나 아트위크의 심장이어야 할 페어는 매년 규모를 축소해오다가

급기야 2016년에는 62개의 갤러리만이 참여하는 참담한 결과를 낳았다. 국제 아트 페어라고 부르기에는 초라한 규모이며, ABC 아트페어의 전년도와 전 전년도(2015년 98개, 2014년 110개) 수준과 비교해도 부끄러운 성적이다. 페어 운영회는 "규모는 줄었지만 퀄리티있는 페어를 선보이겠다"는 공약(?)을 하였으나, 현지 언론이나 아트 피플의 반응은 차가웠다. 아트페어의 생명은 사이즈, 즉 다양성에 있는 것인데 다운 사이즈 된 규모로 어떻게 높은 퀄리티를 보장할 것이냐는 의구심이 베를린 갤러리 관계자들로부터 만연하였다. 실제로 지난 몇 년간 ABC 아트 페어에 대한 판매 부진이 실망으로 이어지면서, 갤러리들은 자체 컬렉터를 키우거나 바젤 아트 페어 등의 여타 국제 페어에 진출하는데 더욱 열을 올렸고, 이것이 페어의 규모 축소로 이어졌다는 것이 현지 관계자들의 중론이다. 이런 가운데 급기야 "2017년에는 과연 ABC 페어가 열릴 수 있을 것인가?" 하는 존폐론까지 등장하고 있다.

베를린이 떠오르는 예술도시라는 소문을 귀에 못이 박

히도록 들었던 필자로서는 이런 소식이 당황스러울 수밖에 없었다. 그러나 현지 예술종사자들에게 이야기를 들으면 들을수록, 독일과 베를린의 미술 시장의 규모와 실상은 실망스러운 수준이며, 큰 손 컬렉터나 고가의 미술품 거래는 오히려 뒤셀도르프나 쾰른, 혹은 뮌헨 등의 도시에서 더 활발하게 거래되고 있다는 정보도 듣게 되었다. 아트넷 뉴스에 보도된 바에 따르면, 전 세계 미술 시장의 83퍼센트를 미국과 중국 시장이 차지하고 있으며, 세계적인 컬렉터들은 스위스와 홍콩, 미국에서 열리는 아트페어에만 관심이 있다고 한다.[1] 특히 베를린은 독일

1) "What's Stopping the German Art Market from Competing Internationally?" 2015년 6월 5일, artnet news.

내에서도 미술 시장이 활성화되지 못한 도시로 악명이 높다. 왜 그럴까? 베를린은 기본적으로 가난한 도시이다. '가난하지만 섹시한' 이라는 슬로건에 걸맞게 GDP는 유럽의 다른 도시 기준에 비해 낮으며, 실업률(11%)도 높은 편이다. 도시의 인구 절반 이상을 가난한 예술가가 채우고 있고, 상업 갤러리보다 대안 공간이나 젊은 예술가들의 프로젝트, 혹은 젊은 예술가들이 작업을 준비하는데 더 적합하다. 더불어 미술품 거래에 높은 세금을 부과하는 독일 정부와, 국제거래를 위해서는 자격증이 반드시 있어야하는 경직된 예술 행정법도 미술 시장 부진의 이유로 언급된다. 미술계의 엔진이라고 할 수 있는 미술시장의 부진은 결과적으로 베를린이 독립 예술 이상의 현대 미술을 생산해내지 못한다는 위기의식마저 생산하고 있는 추세다.

베를린 비엔날레 2016

2016년 열린 제9회 베를린 비엔날레는 베를린의 다섯 군데의 독립된 장소에서 진행되는데, 가장 중요한 두 전시는 아카데미 드 쿤스트(Academie der Kunste)와 카베

(KW Institute for Contemporary Art)에서 열린다. 2016년 베를린 비엔날레는 여느 때보다 전시 기간을 1주일 더 연장했다. 그 이유는 바로 베를린 아트위크 때문이다. 즉, 관람객으로서는 비엔날레를 관람할 수 있는 마지막 기회가 주어지는 주간이 아트위크이다.

이번 비엔날레를 기획한 팀은 DIS로, 2014년 그들이 디렉터로 지명된 시점부터 남다른 주목을 받았다. 그들의 독특한 약력 때문인데, 패션지 에디터, 작가, 웹 디자이너, 크리에이티브 디렉터 이렇게 네 명이 한 팀을 이루고 있다. 이제껏 '정통적인' 현대미술을 다루었기보다는 명품 패션 브랜드와 콜라보레이션, 온라인 매거진 <DISmagazine> 발행 등의 활동을 주로 해왔고, 이들의 정체성이 집약적으로 담긴 매거진을 살펴보면, 이것이 도대체 사진집인지, 패션지인지, 미술지인지, 고퀄리티의 힙스터 소식지인지 도통 정체를 파악하기 힘들다. 특히 이들은 주로 뉴욕을 중심으로 활동하는 미국인으로서, 베를린의 입장에서는 철저하게 이방인 신분으로 베를린의 가장 중요한 전시를 기획했다는 점에서 더욱 이슈가 되었다. 비엔날레의 전체 타이틀은 <The Present in Drag>. "연장된 현재" 정도로 번역할 수 있는 이 제목

은 현대미술이 처한 위기의식과 지리멸렬한 몇 가지의 담론들-상업성과의 결탁, 엘리트주의의 반격-을 떠올리게 하며, 전시 전반에 걸쳐 익숙한 현대미술의 오브제보다는 쇼룸에서 볼 수 있을 법한 제품들이 미래주의에 관한 흥건한 낙관론 속에 전시되어 있다. 이 비엔날레는 호불호가 극명하게 갈렸는데, 옹호주의자는 이 전시가 현대미술이 직면하는 모호함과 장단점을 여과 없이 보여주면서 논쟁거리와 세련됨을 잃지 않았다고 평가했으나 비판주의자는 도대체 무엇을 말하고 싶은 전시인지 메시지를 파악하기 힘들며 상업성에도 정도가 있다고 비판했다. 반면 고가에도 불구하고 여러 번 들었다 놓았다를 반복할 정도로 탐이 나는 도록은 완벽한 상태로 제작되어서, 이것 역시 DIS의 상업성과 '일단은 힙한' 성격이 일관된 맥을 함께 한다는 평가로 이어졌다.

제롬 벨 공연 & 크리스티나 선 킴 렉처 퍼포먼스 & 안네 임호프 퍼포먼스

세계적인 안무가이자 비무용(non-dance) 안무의 선두주자 제롬 벨(Jérôme Bel)의 공연을 직접 볼 수 있는 기회가 내게 주어지다니! 예매를 진행하는 손이 떨려올 지경이었다. 제롬 벨의 퍼포먼스는 한국에서도 페스티벌 봄을 통해 공연이 진행된 바 있었지만, 실험적이고 급진적인 작품들의 특성상 한국 무대에 오르기에는 위험 부담이 있는 부분들이 있었다. 이번 베를린 아트위크 기간에 선보이는 공연은 <Gala>와 <Jérôme Bel>(1995). 우리가 선택한 것은 제롬 벨의 아이덴티티가 확연히 드러난 <제롬 벨>로, 이 공연은 제롬 벨의 초기작 중 하나로 당시에는 파격성으로 큰 주목을 받았다고 들었다.

공연은 베를린 남부 중심에 위치한 Kreuzberg지구의 예술 공연장 HAU2(Hebbel am Ufer)에서 열렸다. 작은 공연장이지만 베를린에서는 유서 깊은 곳이며, 주로 댄스와 퍼포먼스를 중심으로 공연이 되는데 제롬 벨은 예전에도 이곳에서 공연을 올린 적이 있다고 한다. 공연이 시작되면 온 몸에 실오라기 하나 걸치지 않은 남녀의 무용수들이 등장한다. 그들은 무대 위에 마련된 칠판에 분필로 텍스트를 적고, 노래를 부른다. 서로의 몸에 립스틱

으로 선을 긋고 그림을 그리며, 머리카락으로 장난을 치다가 물을 마시고 급기야는 무대 위에서 오줌을 싼다. 필자는 독일인 친구와 함께 이 공연을 관람했는데, 그는 너무나 충격을 받은 나머지 공연이 끝나자마자 부모님에게 즉시 전화를 해서 자신이 방금 보고 들은 바를 충실하게 이실직고하는 모습을 흥미롭게 목격할 수 있었다.

함부르크 반호프 현대미술관(Hamburger Bahnhof Museum fur Gegenwart)은 본디 베를린에서 함부르크까지 가는 기차가 운행되던 기차역을 1996년 현대미술관으로 개조한 미술관으로, 베를린 중앙역 맞은편에 위치하여, 베를린에서 가장 중요한 현대미술 전시가 열린다. 아트위크 주간에는 안네 임호프(Anne Imhof)의 개인전 <불안 2(Angst 2)>가 열려서 많은 사람들의 기대를 모았는데, 그녀는 현재 독일 현대미술이 가장 주목하고 있는 젊은 작가이다. 2015년 독일 내셔널 갤러리 어워드 수상자이며, 2017년 베니스 비엔날레 독일관 선정 작가이기도 하다. '극심한 두려움', '공포' 등으로 번역할 수 있는 제목의 이 전시는 3부작으로 기획되었다. <Angst 1>은 6월 아트바젤 기간에 바젤 미술관에서, <불안 3(Angst 3)>은 10월 캐나다 몬트리올 비엔날레에서 각각 선보였다. 이 전시는 아트위크 기간을 포함해 단 열흘 밖에 열리지 않는데다가, 오프닝 퍼포먼스가 저녁 8시부터 자정까지 열리는 독특한 시간대로 관객들의 호기심을 자극하였다. 으슥한 밤에 정원을 건너 미술관으로 들어가면, 자욱한 잿빛 안개가 시야를 가로막는다. 누가 예술가고 누가 관람객인지 알 수 없을 정도로 들뜬 인파들이 서성대며 퍼포먼스를 기다리는 가운데, 모델 같은 외모의 황홀한 젊은 무리들이 전시장 바닥에 누웠다가, 긴 팔다리를 흐느적거리며 안개 속을 걸었다가, 한 명을 짊어지고 운반했다가, 전시장 가운데 위치한 간이 철제 계단 위를 올라가 포즈를 취한다. 매캐한 연기는 시종일관 시야를 방해하는 가운데 퍼포먼스는 계속되었다. 정확한 의미를 해독하는 것은 역부족이었지만 미술관 건물이 가지고 있는 어두우면서도 거대한 아우라와 함께 강렬한 인상이 오랫동안 남았던 퍼포먼스였다.

아카데미 드 쿤스트 세미나 룸에서 열린 크리스티나 선 킴(Christina Sun Kim)의 렉처 퍼포먼스는 아트위크 기간

에 관람한 퍼포먼스 중에서 개인적으로 가장 감동적으로 다가왔다. 한국계 미국인인 크리스티나 선 킴은 뉴욕에서 주로 활동했지만 최근 베를린으로 무대를 옮겼다. 선천적인 청각 장애인인 그녀는 렉처를 통해 이 사회에서 청각장애인으로서, 그리고 여성으로서 피할 수 없는 모순에 대해 이야기한다. 전화기를 발명한 영웅 그라함 벨이 실상은 얼마나 무시무시한 남성 우월주의자이자 청각장애인 혐오분자였으며, 남아공 올림픽에서 발생한 어이없는 수화 사기 스캔들, 인터넷의 발달이 청각장애인에게 어떤 신세계를 열어주었는지에 대한 그녀만의 스토리들을 풀어놓는다. 사회소수자이자 '타인'인 작가가 사회적 메시지를 던지는 무거운 테마의 렉처이지만, 내용을 듣다보면 점차 그들의 입장에서 사회를 바라보는 시각이 열리게 된다. 또한 크리스티나 선 킴의 유머러스하고 파워풀한 무드가 관객을 사로잡는데, 작가의 긍정적인 에너지와 펑키한 패션은 너무나 매력적이어서 빠져들수밖에 없다. (TED에서 그녀의 멋진 동영상을 찾아볼 수 있다.) 그녀가 수화로 이야기를 하면 그것을 여성 통역가가 대신 말하는 형식으로 이루어졌는데, 단순히 말을 옮기는 수준이 아니라 크리스티나의 리듬과 톤까지 재현하는 수준의 찰떡궁합을 자랑한다. 렉처가 끝나면 사람들

은 박수 대신 두 손을 들어 반짝반짝 별 표시(박수 수화)로 호응을 한다. 이토록 사랑스러운 순간에 눈물이 찔끔했다.

나치 벙커 안의 비밀 컬렉션

뭐니뭐니해도 베를린 아트워크 중 가장 기억에 남는 경험은 보로스 벙커 프라이빗 컬렉션(Sammlung Boros)을 구경한 것이었다. 나치 정권 때 폭격을 피해서 만든 실제 벙커이며, 지하나 숨겨진 장소가 아닌 도심 한복판에 있다는 것이 흥미롭다. 도시 전체가 폭격을 당해도 나치 장교들이 살아남을 수 있도록 두꺼운 벽으로 설계된 벙커는, 불명예스러운 과거의 이미지 쇄신을 위해 1980년대 바나나, 파인애플 등 열대과일 저장소로 사용되었다고 한다. (아직도 건물 외벽에는 바나나 그래피티가 남아 있다.) 1990년대에는 베를린의 가장 핫한 테크노 클럽(겸 섹스 클럽)으로 활용되었고, 2000년대에는 유럽 현대미술의 큰 손, 보로스 패밀리에 의해 프라이빗 아트 컬렉션으로 탈바꿈 하였다. 벙커의 꼭대기 층에는 펜트하우스로 건축하여 보로스 패밀리가 살고 있다고 한다. 올라퍼

엘리야슨, 아이 웨이웨이, 플로리안 미센버그, 토마스 러프 등 컬렉션 자체도 워낙 쟁쟁하지만, 벙커의 독특한 내부 디자인에 맞춰 제작된 작품들도 매우 흥미롭다. 필자는 베를린에 교류전시를 위해 머물러 있던 큐레이터에게 추천을 받았는데, 결론적으로 베를린을 방문하려고 계획 중인 예술 애호가들에게 자신 있게 추천하는 바이다. 이 컬렉션은 아트위크 기간이 아니더라도 사전 예약을 통해 관람할 수 있다. 단, 최소 한 달 전 예약이 필수이고, 독일어와 영어 가이드 중에서 선택할 수 있다.

사진 조숙현

대안공간의 퍼포먼스

퍼포먼스는 국공립 미술관에서는 주로 오프닝 이벤트로 연결되는 경우가 많지만, 대안공간에서는 퍼포먼스 자체가 주인공이다. '예술적 실험'이라는 면에서 대안공간의 특성과 퍼포먼스의 개척적인 형식은 일맥상통하는 면이 있다. 한 때 <페스티벌 봄>이라는 퍼포먼스 페스티벌도 주요한 행사로 자리매김하였던 것에 비해 최근에는 본격적인 퍼포먼스 페스티벌이 부재하고 있는 상황이다. 하지만 꾸준히 여러 전시공간에서 온전히 퍼포먼스를 위한 행사가 시도되고 있다. 각각의 목적은 다르지만 2016년을 이어간 대안공간의 퍼포먼스를 간략하게 소개해 보고자 한다.

<플레이스막 MAKSHOW 2016 릴레이퍼포먼스>

행사기간: 2016년 9월 20일 ~ 11월 6일 / 약 7주, 월요일 휴관
장소: MAKSA (서울시 마포구 연남동 227-15 동진시장 내)

참여작가: 나연우, 남정현, 박가인, 박종원, 양승주, 할로이노, 이소연X김비키, 지성은 (총 8팀)

2015년을 시작으로 올 해 2회를 맞이하는 MAKSHOW는 2016년 9월 21일부터 11월 6일까지 약 7주간, 연남동에 위치한 막사에서, 8개 팀이 일주일 단위의 릴레이로 진행된다.

서울 연남동 동진시장 내에 위치한 '막사 MAKSA'는 플레이스막(placeMAK)의 두 번째 공간으로 3.5 x 7.35 (m)의 블랙박스 기능이 강조된 곳이다. MAKSHOW는 Performing Art 라는 장르의 유용한 현장 접근성을 목적으로 하고 있다. 관객에게는 이벤트성이 아닌 공연이라는 형태의 퍼포먼스로서 작가에게는 오브제로서가 아닌 퍼포밍 장르의 예술가로서 자연스런 주류 예술계의 진입과, 저변 확대를 목적으로 둔다. 공연이라는 특성으로 물리적인 공간의 제약을 받는 장소의 확장을 기대한다.

사진/ 할로이노 프로젝트, 퍼포먼스 기획 및 퍼포머, 배영란

www.placemak.com / www.facebook.com/placemak

<대안공간 루프- 시의 부적절한 만남 2016 - Moment>

책임 기획: 이병희
공동 기획: 마유모 이노우에 Mayumo Inoue, 부르스 Bruce Quek
참여 작가:
(한국) 고승욱, 구민자, 김재범
(싱가포르) 카이람 Kai Lam, 루즈한 Loo Zihan, 바니 하이칼 Bani Haykal
(일본) 류다이 타카노 Ryudai Takano, 사토코 네마 Satoko Nema
전시 장소: 대안공간 루프(서울시 마포구 서교동 335-11, 02-3141-1377)
전시 기간: 2016. 12. 16 - 2017. 1. 12
오프닝: 12월 16일(금) 17시
후원: 한국문화예술위원회, Singapore International Foundation, Nomura Foundation, 대안공간 루프, 네오룩

대안공간 루프의 <시의 부적절한 만남 2016-Moment>는 아시아의 현대성에 대한 성찰적 프로

젝트이자, 현대의 상황에서 '충동'이 어떻게 신자유주의-글로벌라이제션의 결탁으로서 탄생한 '생명정치'에서 작동하는지를 살펴보는 프로젝트이다. 이병희 큐레이터는 예술가의 활동을 광의의 의미에서의 '퍼포먼스'라고 보고, 그 활동의 생산물, 결과물, 잔여물이 각종 매개하는 현장을 전시로 보고 있다. 모먼트를 일종의 '갈라짐'의 순간이며, 그 순간에서 돌발하는 정서로 보고 세대와 시대, 작가와 작품, 몸과 고유성, 순간성과 시간성, 로컬과 글로컬의 키워드들이 동일한 것의 다른 양상처럼 갈라지는 기점을 면밀하게 살펴 보았다. 참여작가는 주로 멀티미디어 아티스트로서, 싱가포르, 일본, 한국 등 다양한 아시아 작가들이 참여하였다. 3년 동안 진행한 현장 리서치,

토론, 아카이브 등이 전시에 포함되어 있다.

아티스트 토크와 전체 워크샵: 12월 18일(일) 15시
큐레이터 토크: 12월 29일, 31일(목, 토) 15시, 1월 5일, 7일(목, 토) 15시
 전시와 프로젝트 설명, 싱가포르 한국의 글로벌-로컬의 긴장, 현대미술 기관 및 작가비교설명
퍼포먼스 일정:
2016년
12월 16일(금) 5시
- Kai Lam <Washing Machine Concert No.3 (After Huang Yong Ping), 2016>

- Bani Haykal, Bruce Quek <Artificial sweeteners (for potentially bitter things), 2016>
- Loo Zihan <Subject to Shame, 2016>으로의 초대

12월 17일(토) 3시
- Loo Zihan <Subject to Shame, 2016>
- 구민자 <로컬 로컬 ; con-temphe-rary, 2016>

2017년
1월 12일(목) 5시_클로징 퍼포먼스
- 김재범 <Unbreakable, 2016>

사진 제공: 이병희 큐레이터

<퍼폼 2016>

행사기간: 12월 29일 - 31일
장소: 탈영역우정국(서울 마포구 독막로 20길 42, 구창전동우체국)
주관/주최: 퍼폼
후원: 문화체육관광부, 예술경영지원센터, 문화가 있는 날, 우정국, 과자전, 아트스트로우
참여 작가: 괄호, 김영수, 박준범, 신남전기, 장지우, 정동욱, 정금형, 정진화, 조익정, 감윤경, 강재원, 김진아, 브띠끄빈, 노상호, 류경호, 시청각, 윤향로, 이선태, 이예은, 이주미, 호상근, gb
기획: 김미교, 김영수, 김웅현
협력의 요청: 윤율리
디자인: WORKS
상설마켓 운영시간: 12월 29 - 30일 3pm-10pm, 31일 2pm

퍼포먼스 작가들의 작품을 온전히 보여줄 플랫폼을 위해, 퍼폼은 새로운 플랫폼인 <퍼폼2016>을 만들었다. <퍼폼 2016>은 시각예술기반의 마켓에서 가능한 퍼포먼스를 지향한다.

위트가 넘치는 흥미진진한 퍼포먼스부터 파격적이고 실험적인 퍼포먼스까지 추운 겨울, 따뜻한 선물과도 같은 행사를 기대하였다. <퍼폼 2016>은 텀블벅을 통해 입장료를 받았으며, 각종 자유이용권 등 여러 가지 버전으로 이 행사를 즐길 수 있도록 하였으며, 뱃지와 굿즈, 도록 등의 예술 관련 상품으로 퍼포먼스 분야에 대한 마켓으로서의 가능성도 실험하였다.

사진: 퍼폼2016

https://tumblbug.com/perform2016

TIME TABLE

2016 / 12 / 29 · THU
19:00 - 20:00 윤율리 <Perform Unpacked 2016>
20:00 - 21:00 김영수 <술렁술렁 가위바위보>

2016 / 12 / 30 · FRI
19:00 - 19:50 괄호 <하던 놈이 해라>
20:00 - 20:45 조익정 <Little Does She Know>
21:00 - 22:00 장지우 <빼빼의 지우맨>

2016 / 12 / 31 · SAT
15:00 - 15:50 정동욱 <A cup of data>
17:00 - 17:30 박준범 <노 찜뽕!>
19:00 - 19:40 정진화 <New Type : C - 병아리와 토끼들>
21:00 - 22:00 정금형 <정금형 워크샵>
23:00 - 02:00 신남전기 <이제 끝인가...내일은 없다!>

<Project Unit 828384>

Project Unit 828384는 2016년 현재 세 명의 안무가와 특별 게스트 안무가 한명으로 이루어진 안무 유닛이다. 82년생 길서영, 83년 이정인, 84년생 조현상이 유닛의 구성원이고, 게스트 안무가는 오스트리아에서 학업에 매진하고 있는 이승주이다. 길서영은 LDP 무용단에서 무용가나 안무가로 활약하고 있고, 이정인은 베를린, 소피아 등 유럽에서 활동 후 한국 국립현대무용단을 거쳐 현재 오스트리아에서 활동 중이다. 조현상은 현재 다크서클즈 컨템퍼러리 현대무용단의 단장이다.

이들이 Unit을 결성하게 된 계기는 유럽활동을 기반으로 하고 있는 이정인을 주축으로 다양한 무용단 활동에서 벗어나 안무가로서 본연의 자세를 탐구하고자 했던 것이 초기의 결성 의도이다. 이들은 국내의 해외 레지던시 프로그램을 통해서 불가리아의 여러 공간에서 새로운 안무를 만들어 내고, 장소에 맞게 쇼케이스를 4월과 9월에 진행하였다. 귀국 후 11월에 서울무용센터 스튜디오 블랙에서 국내 발표회를 가졌다. 이후 불가리아와 지속적으로 레지던스 행사와 뮤지엄 나이트 행사가 2019년까지 계획되어있다.

Project Unit 828384는 불가리아의 Atome Theater와 플로디브의 뮤지엄 나이트(Museum Night in Plovdiv)에 초청되어 각각의 안무가가 다른 공간에서 쇼케이스를 가졌다. 불가리아에서는 뮤지엄이나 자연환경과 어우러진 장소 특정적인 작품을 진행하면서 돌이나 벽 등의 사물을 무대로 작업하였으며, 현지의 무용인들과도 지속적인 워크샵을 통해서 작품 발표를 하였다.

History
2016. 04 Residency & Showcase
Euro Culture pays Getiane, France

2016. 04 Showcase & Workshop
КЪЩА Creative Hub, Sofia, Bulgaria

2016. 09 Showcase
Museum Night in Plovdiv, Bulgaria

2017. 09(예정) 불가리아 4개 도시 투어, Showcase / Museum Night in Plovdiv, Bulgaria

Creative Deirector 길서영 이정인 조현상
Guest Choreographer 이승주

Program
섬, 숨- Drifting Island (이정인)
공간과 시간을 가늠할 수 없는 순간의 찰나.
어디에 있는지 어떤 것이 있는지 모르는 그것은 공허에 가깝지만, 몸은 숨을 쉬고 영혼은 끊임없이 표류한다. 나는 여기 있지만, 여기 있지 않다.

Kafka on the Road(길서영)
이 작업의 시작점은 카프카의 소설 유형지에서 - In the Panal Colony에서 받은 영감들로부터 시작되었다. 왜곡된 가치관들, 충돌된 이미지를 내 몸에 적용해보고 호흡, 에너지, 감정과 유기적으로 결합해 보았다. 이 지점에서 발견되는 몸의 질감을 움직임으로 발전시켜 보았고 육체, 영, 혼의 내적질서를 회복하고 몸과 정신의 통합의 순간을 즐기고자 한다.
춤을 추는 순간에 발생되어지는 에너지와 춤의 생명력을 표현하고자 집중한다.

In the Box(ing) (이승주)
새로운 환경에서 나 자신을 보호하는 방법

Silence (조현상)
고요함
폭풍이 몰아친 후 홀로 남겨진 고요함. 공허함과 상실감만이 나를 둘러싸고 있는 그 순간 난 작은 손가락 마저도 움직이지 못한다. 하지만 그것은 또다른 폭풍을 맞이할 준비를 하는 순간이며 더욱 강해지고 단단해지는 순간이며 기회이다.

Movement Research - Euro Culture pays Getiane, France
Showcase: КЪЩА Creative Hub, Museum Night in Plovdiv, Bulgaria, Seoul Dance Theater

사진
2016. 4 Euro Culture 사진 '박지현-Jihyun Midori Park'
2016. 9 Plovdiv 사진 '이반 알렌산더-Ivan Alexander Kjutev'
2016. 11 Seoul Dance Center 사진 '박혜연-Hyeyeon Park'

아마도 예술 공간, 박승원의 <유연한 몸부림>

아마도예술공간에서는 2016년 여러 주목받을 만한 작가의 개인전을 열었다. 그 중 10월에 진행되었던 박승원의 <유연한 몸부림>은 5명의 퍼포머를 중심으로 진행된 전시였다. <유연한 몸부림>에서의 퍼포먼스는 일회성 퍼포먼스가 아니라 사회의 구조적인 시스템 오류에 대한 감정을 몸과 소리의 언어로 해석해 내는 점진적 이행과 정으로서의 퍼포먼스이다. 전시 기간 동안 첫 번째 퍼포먼스는 사회적 시스템 아래 인간 본연의 감정이 조정당하고 있는 상황에서 '살아 있음', '감각하고 있음'이 희미해진 개인의 모습을 보여준다. 두 번째 퍼포먼스는 각자의 삶을 영위하기 위해 열심히 노동하지만 어느 순간 맹목적으로 변해버린 상황을 타개하기 위해 일하는 인간에서 유희하는 인간으로 변이를 시도한다. 세 번째 퍼포먼스는 사회와 심리적으로 단절된 채 살아가는 개인의 모습이며, 네 번째 퍼포먼스는 버려지거나 소비된 용품에 기댄 불안정한 신체를 통해 우리 삶의 위태로움을 드러낸다. 마지막 퍼포먼스는 앞의 네 명의 퍼포머가 송신하는 무전을 글자화된 텍스트로 변경해 주는 컴퓨터 프로그램을 통해 이들이 전달하는 텍스트를 대본 삼아 즉흥 일인극을 펼친다.

참여 작가: 박승원
참여 퍼포머: 박훈규, 원을미, 채승언, 황미나, 홍경우

사진 고윤정

Young Artist Interview

정세영

정세영

Q. 자기소개를 간단히 하면.

A. 원래 연극연출 작업하다가 무대미술 공부하러 모나코에 유학을 갔다. 전형적인 연극에서 벗어난 공연이 만들고 싶어서 다시 프랑스에서 현대무용 안무를 공부했다. 프랑스 무용 사조가 농당스(Non Dance)라고 무용이 아니면 '다 된다'는 뜻이어서, 미술이나 역사 등 전공이 다른 친구들과 모여서 작업을 했다. 프랑스에서는 6년 정도 있었다.

Q. 최근 정세영 작가를 퍼포먼스 아티스트로 바라보는지.

A. 요새 무용 작업을 많이 해서 안무가로 더 불리고 있다. 퍼포먼스보다 내 작업은 공연에 가깝다. 퍼포먼스라는 단어가 미술에서 파생된 단어이고, 행위가 중점이 된 단어인데, 그런 의미에서는 나의 작업은 행위보다 '보는 것', '광경', '스펙타클'에 더 가깝다고 생각한다. 퍼포먼스 그 자체보다는 나의 작업을 누군가가 관람하고, 보게 하는 것이 더 중요하다. '어떤 행위'를 '보게 만들까'에 중점을 두고 있다.

Q. 일반적으로 안무가라고 하면 직접 무용 동작을 만드는데 그런 과정과 다른 방식으로 작업하는지.

A. 대부분 무용수의 느낌을 고르거나 무용 동작을 짜는 것이 안무가인데, 나는 머릿속으로 내용을 생각해 놓고, 부탁하는 정도라서 디테일, 테크닉이 드러나는 작업은 아니다. 그래서 배우나 등장인물들이 테크닉이 뛰어난 사람들은 오히려 지양하는 편이다.

Q. 우리 잡지 이름과 동일한 Gravity가 들어가서 작업 내용이 무척 반가웠다. 작업에서 중력을 떠올리는 작업이 많은데, 어떤 뜻인지.

A. 서사구조가 일반적으로 기승전결로 이루어지는데, 내 러티브가 올라갔다가 내려가기 마련이다. 이 부분을 무대에서 실현했을 때 '중력'으로 표현할 수 있을 것이라고 생각했다. 좋고, 나쁨의 이미지 혹은 긍정적, 부정적 이미지들이 중력에 의해서 파생되었다는 전제로 작업했다. 예를 들면 사람들이 좋아하는 이야기 중에 하나가 '죽어서 하늘나라에 갔다', 라고 하거나 죽으면 '땅에 묻힌다.' 라고 표현한다. 그래서 이상적이고, 실현 가능하지 않은

것, 판타지 등을 위로 올라가는 것으로 상징적으로 드러내려고 했다. 실제로 무대에서도 올라가는 감각만으로도 관객들이 무척 좋아했다. 작업에서 '중력'이라는 주제가 실제로 중요한 요소이다.

Q. 이 무대를 실현하기 위해서 중요하게 여기는 장치가 있는지
A. 공연 제목이 원래 '데우스 엑스 마키나'(DEUS EX MACHINA)인데, 이는 '극적 장치'를 뜻한다. 지금으로 따지면 영웅 같은 느낌인데, 파국으로 치달을 때 신이 와서 해결해 주는 장치이다. 미술에서 '연극적'이라는 것이 다소 부정적인 뜻이지만 나는 이 지점에서 연극적이라는 것이 어떻게 컨템포러리 아트에서 소화될 수 있는지에 대해서 관심이 있다. 바람, 천둥번개 효과, 뜨거움, 격정적인 대사를 한데 모아서 사람들이 보게 만드는 과정을 중심으로 다양한 매체를 어떻게 활용할지 고민을 많이 한다.

Q. 일반적인 공연 러닝타임은 어떻게 되는지
A. 댄스 엘라지에 출품했던 작품은 10분인데, 보통은 30분 정도 된다. 버튼을 눌러서 내가 올라가야 하는 작업이 있었는데, 내가 누르면 올라갈 수가 없어서 대신 눌러주는 사람을 초대하게 되었다. 그 사람을 당시에 한인교회

를 다니던 중이어서 목사님께 부탁을 드려서 극의 판타지를 하나님이 마치 인도해주시는 것처럼 보이는 작업을 했다.

Q. <아무것도 바꾸지 마라>를 보면 송주호 배우가 종이 테이블에 넘어지는 장면이 있었는데, 종이 테이블은 한 번 쓰면 망가져서 리허설을 할 수 없는 공연이었다. 일반적인 무용 작업보다는 '우연성'이나 '즉흥성'이 중요한 공연이었는데, 퍼포먼스의 정의를 어떻게 생각하는지.
A. 예전에 유진상 선생님이 퍼포먼스에 대해서 4가지로 분류했다. 공연기반, 시간의 흐름에 따른 배열, 수행적인 측면, 시각적인 효과에 의한, 기록적인 그런 내용으로 나누었던 것으로 기억이 난다. 그런 면에서 내가 하는 작업은 공연기반이면서 수행적인 측면이 좀 더 강한 것 같다. 그런데 개인적으로 내가 하는 작업은 물리적으로 맞닿는 작업이 아니다 보니 시각 예술가가 하는 작업들이 나에게는 더 퍼포먼스라고 느껴지기도 한다. 문래예술공장에서의 작업은 주로 지인들끼리는 '공연한다.'라고 표현한다. 나는 공연의 약간 다른 형태가 '퍼포먼스'이다.

Q. <아무것도 바꾸지 마라>에서는 4개의 공연이 연속되면서 어디에서 다음으로 바뀌었는지를 관객이 알아차리기 힘들었다. 이 공연의 경우 리허설을 했는지도

궁금하다.

A. 그 공연은 춤을 추는 일반적인 레퍼토리를 거꾸로 하는 과정을 보여준 것이라서 공연을 연습하지는 않았다. 하지만 공연 전에 많은 약속을 한다. 계획된 것 안에서 보여주어야 하기에 장면마다 '왜 즉흥적으로 해야 되는지', 그런 당위성을 많이 찾는다.

Q. 이 공연을 보고 실험적인 공연에 대한 의문점이 생겼다. 정세영 작가가 생각하기에 내러티브를 관객이 알아차리지 못한다든지, 우연적인 효과에 기대야 한다든지, 시작과 끝을 모르는 것처럼 매듭지어지지 않은 느낌을 느껴야 '실험적'인 것인지.

A. 이러한 공연은 사실 실패할 확률이 많다. <초연>이라는 작업처럼 20년을 넘게 발레를 해온 전형적인 커리어를 쌓은 무용수였다. 여기에서 어떻게 전형성을 탈피할까를 고민한 것이고, 송주호씨는 연극적 전형성을 벗어나려고 했던 것이다. 또 다른 공연은 다음 공연을 홍보하는 것, 실체가 없는 것을 통해서 '공연은 무엇인가'를 질문하려고 했던 것이다. 경험하지 못한 것을 진행하다보니 어느 정도 관객들이 질문을 갖고 있지 않으면 이해하

기 어려울 수 있다. 일반 관객도 사실 관심이 없기도 하고, 80% 이상은 예술가들이 많이 와서 봤다. 나쁘게 보면 '그들만의 리그'일 수도 있지만, 그럼에도 불구하고 통용되는 것은 '직관성'에 있다. 송주호씨는 '넘어졌'는데, 이 부분은 슬랩스틱에 관한 직관성이 있다. 나의 작업도 이야기라는 기본구조를 이해하고 직관성에 있어서 그 부분에 대한 공감을 중점으로 한다. '올라가는 것은 좋다'라는 것만 이해하면 된다.

전형성에 대한 비판은 아니고, 이 공연은 전형성을 인위적으로 바꾸려고 하니 문제가 되는 부분이 있어서 '전형성'을 유지하면서도 바꾸어 보면 어떨까 하는 것에 이 공연은 특별히 관심을 두려고 했던 것에 대해서 고민했다고 생각한다.

Q. 일반적으로 무용수들에게는 '반복성'이 매우 중요하다. 또한 전형성을 유지하면서 후속 세대에게 똑같은 느낌을 전달하려는 노력이 또한 중요해서 교육적인 부분도 중요하다. 미술에서의 퍼포먼스에서는 오히려 그러한 전형성을 어떻게 탈피하려고 할까하는 노력에서 균열이 생긴다고 생각한다.

A. '미술은 다 된다.'라는 것이 사실 요즘 미술인데, 변형, 전복, 변화 그런 부분이 모두 중요하면서도 전반적인 매체를 모두 지배한다고 여겨지는 것 같다. 바꾸어 나가는 방향에 장르마다 약간씩 차이가 있다. 미술은 다른 매체가 갖고 있는 용법 자체를 미술적인 관점 안에서만 이해하고, 간과하는 부분이 있다. 예를 들어서, 미술에서의 시각으로만 바라본다면 오류가 있을 수 있다. 무용에서 전달하는 방식은 테크닉보다는 경험적인 전달에 가깝다. 즉, 몸의 상태, 감정, 이런 것들을 전달하는 것인데, 그것을 외형적인 움직임을 전달하는 것으로 치부한다면 장르를 이해하는 데 약간 부족할 수 있다.

Q. 장치, 무대, 사물 등의 배치와 같은 조형적인 부분이 '중력'이라는 주제랑 어떻게 맞닿아 있나.
A. 전형적인 조형미, 예를 들면, 좌우 대칭, 삼각구도, 정렬, 불일치 등등의 구도를 사용하는 편이다. 스스로 보편적으로 누구나 '안전하게 볼 수 있는 광경'을 강조한다. 그래서 전체적인 구도는 상당히 안정적으로 받아들이도록 하고, 안에서 보는 장면들은 불완전하게 만든다. 안정적인 구도를 많이 사용하는 장르는 성당이나 종교단체, 건축물에서 많이 사용하는 방식이다. 그래서 그 구도 때문

에 맥락적으로 환경을 만들어가는 구조를 자연스럽게 만들어줄 때가 있다. 스토리텔링 기법들이 실체보다는 환경이나 구조를 다루듯이 나 역시도 조작 가능한 원리들도 중요하게 생각한다.

Q. 실제로 작가가 직접 올라가는 작품도 있는데, 위험하지는 않은지.
A. 처음에 5m를 올라갔는데, 올라갈 때는 천천히 올라가고 내려올 때에는 빨리 내려온다. 실제로 어렸을 때 극단에서 조명 작업하다가 떨어진 적이 있었는데, 그때의 공포감도 생각날 때가 있다. 만약 팔에 힘이 빠진다면 그대로 떨어지는 것이긴 한다.

Q. 일반 공연이 아니다 보니 극장 예매하듯 정세영 작가의 작품을 접하기가 쉽지는 않다. 실제로 정세영 작가의 작업을 보려면 어떻게 경험해야 하는지.
A. 사실 나는 극장을 좋아하는데, 포맷이 일반적인 극장이 아니다보니 국립무용단 안무랩이나 광주 비엔날레 등에서 소화되었다. 하지만 미술 쪽에서는 오히려 설치 작업을 많이 하다 보니 극장적인 작업을 많이 못했는데, 내년에는 극장 형식의 작업도 많이 해보고 싶다. 그래서 다

음 작업에서는 연극적 과정을 강조하려고 계획 중이다.

Q. 댄스 엘라지(DANSE ÉLARGIE)[1]는 어떻게 지원하게 되었는지

A. 인사미술공간에서 재작년에 김정현씨, 송주호씨 등과 함께 <연말연시>라는 퍼포먼스 전시를 하면서 준비하게 되었다. 그러면서 댄스 엘라지 소식을 접하게 돼서 지원하게 되었다. 사실 1등 하리라고 생각은 못했다. 3등이라도 하면 좋을 것 같다고 생각했다. 그렇긴 한데 댄스 엘라지 때문에 공연 쪽으로 새로운 일이 생기진 않았다. 파리에서 1등한 팀은 학교에서 같이 공부했던 시리아친구인데, 장르 베이스는 무용이고, 시리아 내전과 관련된 내용이었다. 본래 프랑스에서 진행되는 대회인데, 한불수교 기념으로 국내에서도 처음 진행했던 대회이다. 댄스 엘라지 이후에 '춤의 확장'과 같은 내용을 담은 포럼에서 많이 소개되고 있다.

Q. 열린 공간이나 극장이 아닌 공간에서 작업을 할 계획도 있나.

A. 어떠한 공간이라고 하더라도 극장의 요소를 유지하려는 경향이 있다. 만약에 미술관 로비 같은 곳에서 작업을 하더라도 나는 극장처럼 그 공간을 해석할 것이다. 즉 흥보다는 공연도 매우 계획적인 편이어서 초단위로 거의 늘 맞추는 편이다. 즉흥적인 것을 실제로는 크게 좋아하지 않는다.

사진
Deus ex machina- Leap, Hop, Jump (performance, 10min. 2016) - LG Art Center
© LG아트센터 / JD Woo

Deus ex Machina-찌를 수 없는 방향과 뜨겁지 않은 거리 (mixed media-installation, 2015)
한국식용춤 고안을 위한 리-서치(performance, 15min, 2014)

---

1) 댄스 엘라지는 춤을 기반으로 하여 연극, 음악, 건축, 시각예술 등으로 확장한 열린 개념의 경연대회로 2010년 시작하였다. 2016년에 한-불 수교 기념으로 파리와 서울에서 동시에 열렸으며, 에르메스 재단의 후원으로 진행되었다. 서울 경연대회에서 정세영 작가가 1위를 차지하는 영광을 안았다.

퍼포먼스 아티스트 아카이브

김가람

박승원

안데스

옥인콜렉티브

옥정호

조영주

조은지

이경희

흑표범

글 / 고윤정(그레파이트온핑크 편집장)
venue.koh@gmail.com

퍼포먼스 아티스트 아카이브

김가람, 아젠다 헤어살롱-2016

김가람은 이화여자대학교 회화·판화(서양화)과를 졸업한 뒤, 2011년 런던 첼시예술대학에서 순수미술로 석사과정을 마쳤다. 작가는 각 사회가 내포하고 있는 문화, 사회적 이슈들을 다양한 방식으로 드러낸다. 이로 인해 야기되는 변화와 차이점을 설치, 퍼포먼스, 미디어 매체를 사용하여 유희적인 실험으로 풀어내면서 감상자에게 공감할 수 있는 여지를 제공한다. 2015-16 고양레지던시 입주작가였다. 2016년 여름 코너아트스페이스에서 전시헀던 <아젠다 헤어살롱>을 통해 신진 예술가로 주목받고 있다. '무료 헤어 커트 퍼포먼스'로써 자신의 의견을 강하게 내보이는 의미로 머리를 자르는 행위를 사회적 현상으로 보고, 압구성 재건축 추진 이슈, 외국인 성형수술 관광, 미술계 위작 사건 등을 다루었다.

박승원, 유연한몸부림-2016

박승원

은 독일 함부르크 조형대학교를 졸업하고 현재 서울에서 활동하고 있다. 작가는 현시대를 불안정하게 살아가는 인간의 모습에 집중하며 비논리적이고 유아적인 행위, 또는 문명화된 틀을 벗어난 본능적이고 원초적인 행위들을 통해 삶의 모습을 새롭게 정의하고 불안감을 극복하려 한다. 2016년 개인전 아마도예술공간의 <유연한 몸부림>에서는 박훈규, 원을미, 채승언, 황미나, 홍경우 등 5명의 퍼포머와 함께 사회 속 개인의 모습을 드러내면서도 각자의 시각을 구성하는 환경과 조건을 재정립하여 동시대의 새로운 방향을 제시하는 신체가되는 과정을 그리고자 하였다. 그의 작업은 설치와 퍼포먼스, 영상의 조합으로 이루어지며 <유연한 몸부림>전에서는 일시적인 퍼포먼스가 아니라 점진적 이행과정으로서의 퍼포먼스를 보여주었다.

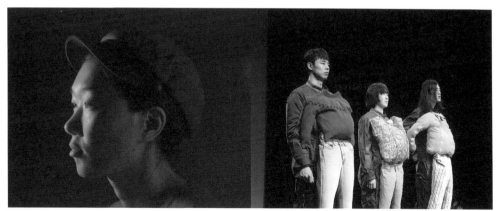

안데스, 시체옷-2015

안데스

남포동이나 황학동 등지에서 헌옷을 사 입으며, 헌 옷의 출처에 늘 관심을 가져왔던 안데스 작가는, 2014년 직접 기증형 옷가게 <덤스터>를 차려, 헌 옷을 사고 팔면서 헌 옷의 이동경로를 데이터화했다. <시체옷>에서는 이 자료를 바탕으로 헌 옷의 이동패턴을 분석해보는가 하면, '헌 옷과의 인터뷰'를 통해옷에게 직접 버려진 사연을 들어본다.

헌 옷이 넘쳐나게 된 의류시장의 구조를 확인하고, 넘쳐나는 헌 옷을 둘러싼 불투명한 헌 옷 유통구조의 흐름을 추적하는 등, 빠르게 돌아가는 유행의 그늘에서 들여다 본 현실을 담고 있다. 2014년 두산 갤러리 <본업-생업하는 예술가>외, 금천예술공장, 문래예술공장에서 활동하였으며, 2016년 국립현대미술관 <예기치 않은>에 참여하였다.

옥인콜렉티브, 아트 스펙트랄-2016

옥인콜렉티브

는 종로구 옥인동 옥인아파트의 지명을 딴 것으로, 2009년 강제 철거를 앞둔 옥인 아파트에 거주하던 동료 작가의 집을 방문하게 된 것을 계기로 시작된 콜라보팀이다. 옥인동을 중심으로 한 장소적 의미가 강한 리서치 기반의 퍼포먼스 작업을 진행하다가 <서울 데카당스>(2013)에서처럼 연극적인 퍼포먼스, 광주 비엔날레(2014)에서의 <작전명-님과 노래를 위하여>에서는 참여적인 퍼포먼스를 선보여 왔다. 특히 2016년에는 리움에서 <아트 스펙트랄>을 선보여 현재 국내에서 다루어지고 있는 예술의 의미를 되짚어 보는 작업을 진행하였다. 무대와 장소는 옥인콜렉티브의 결성 이후 변화를 겪어왔지만, 그들은 결국 예술과 사회의 거대한 범주에서 출몰하고 사라지는 존재들의 모습을 때로는 곧 사라지는 재건축 아파트에서, 아무도 찾지 않는 공간에서, 혹은 많은 사람들이 방문하는 미술관에서 어떻게 작동하고 있는지 의미를 찾아가는 작업을 하고 있다.

옥정호, 훌륭한 정신-2016

옥정호

는 퍼포먼스를 기반으로 하는 사진, 영상 작가이다. 그의 주된 관심사는 한국사회의 현실과 일상에서 느껴지는 '불편한 이물감'에 관한 것들이다. 옥정호가 퍼포먼스를 펼치는 장소는 강화도의 갯벌, 강정마을, 아파트 옥상, 갈대밭처럼 특정한 의미가 있는 곳이다. 그는 펼쳐진 풍경에 독특한 자세로 개입하고, 그 기록을 사진이나 영상에 담는다. 그는 사진과 동영상을 통해서 풍경이 갖는 의미에 대한 질문과 그 질문에 대한 각주로서 서로 역할을 담당한다. 2016년 국립현대미술관의 <예기치 않은> 전시에 참여하여, <훌륭한 정신>시리즈와 <미술관 무지개>시리즈를 선보였다.

조영주, DMZ 비무장여신들-2015

조영주는 파리, 베를린, 한국을 오가며 다양한 여성의 삶을 재조명하는 작업을 해왔다. 장기간의 유학을 마치고 돌아온 여성, 파리에서의 동양 여성, 폐경기를 앞둔 기혼 여성, 페미니즘 아티스트 등의 다양한 스펙트럼으로 자신을 사회적 관계에 비추어 보았던 2013년의 작업을 비롯하여 2015년에는 DMZ에서 DMZ 인근의 아줌마들을 모아 모델 혹은 배우로 웨딩드레스를 입고 다양한 동작을 소화해내는 퍼포먼스를 선보였다. 삶의 주인공인적 없는 여성들을 무대 위로 끌어들이고, 과감하게 삶의 주연으로 등장시키면서 조영주는 작가 자신의 사회적 위치를 기반으로 오늘의 '여성'에 대하여 위트 있는 문제 제기를 하고 있다.

조은지, 떨어지는 계란들-2016

조은지는 국내에 퍼포먼스라는 단어가 생소했을 무렵부터 여러 가지로 퍼포먼스 작업을 해왔다. 초기에는 흙을 기반으로 하여 인간이 근원적으로 돌아가는 흙에 대한 퍼포먼스를 했다. 흙으로 시를 쓰기도 하고, 흙을 벽에다 던지기도 하였으며, 흙에 관한 책을 쓰기도 했다. 한동안 금천예술공장에서는 "미켈란젤로 피스똘레토"라는 밴드로 활동을 하였으며, 2016년 원앤제이 갤러리에서 <떨어지는 계란들>이라는 제목으로 개인전을 가졌다. 이 전시에서는 기존의 흙작업에 덧붙여 '가라앉는 죽음들', '낙하하는 사건들'에 주목하였으며, 관객의 선택, 즉 계단을 내려가거나 올라가는 혹은 머무를 것인지에 따라 결과가 달라지는 내용의 4가지 퍼포먼스를 선보였다.

이경희, 종암동프로젝트-종암동머물기, 단채널비디오, 00.02.59, 2014

이경희는 변화하는 사회, 재난 속에서 인간의 기억, 충격과 충동이 결과적으로 한 개인의 삶에 어떤 변화를 일으키는지 관심이 있다. 사회 속에서 다양한 이유로 주변을 배회하거나, 중심으로부터 떨어져 나온 기억들의 주체를 찾는다. 가장 변두리에 위치한 개인의 삶에서 사회의 중심적인 문제를 지적해 나가는 것이 이경희 작업의 주된 과정이다. 안동, 종암동 등 낯선 장소를 돌아다니며 소설을 쓰거나 퍼포먼스를 하고, 이 과정을 사진과 영상에 담는다. 영상, 스테인드글라스를 통해 자신의 이야기를 풀어가면서 예술이란 무엇인지에 대한 답을 풀어나가는 과정을 보여준다. 예술가의 기억에 의존하는 퍼포먼스는 듬성듬성 연결되어 있지만, 그러한 간격은 오히려 개인의 기억을 사회적 기억으로 역사화시키는 것이며, 작가 자신을 지속적으로 타자화하며 삶으로서의 예술을 보인다.

흑표범, VEGA-2016

흑표범은 현재 해방촌에서 <공간해방>을 운영하면서 스스로 그 곳에서 퍼포먼스와 전시를 하는 1인 다역의 작가이다. 흑표범은 본인의 몸으로 직접 행동을 보이는 작업들을 주로 하여 왔으며, 2004년 <도대체>전을 비롯하여 6번의 개인전을 하였다. 퍼포먼스, 사진과 영상을 오가면서 특히 2014년 이후에는 세월호와 관련된 작업에 집중하였다. 직접 운영하고 있는 <공간해방>에서 <이불 한 장>프로젝트와 <VEGA> 퍼포먼스를 벌였다. 팽목항에서 유가족이 사용하였던 이불 위에 그림을 그리거나 세월호 유가족의 목소리를 기반으로 한 퍼포먼스를 벌였다.

컬렉터 인터뷰

유명훈, 한서형 부부

구나윤(그레파이트온핑크 발행인)
joannkoo77@gmail.com

'존경과 행복의 집'에 사는 유명훈 & 한서형
부부의 아트 라이프

세계적인 베스트셀러 작가이자 철학자인 알랭 드 보통(Alain de Botton)은 "모든 건축 스타일은 자신이 이해하는 행복을 이야기 한다(저서 '행복의 건축'에서)"면서 건축이 우리에게 말을 건넨다고 설명했다. 과연 우리는 건축에서 행복을 찾을 수 있을까? 궁금증을 안고 도심을 벗어나 전원생활을 즐기고 있는 유명훈(CSR 컨설턴트), 한서형(라이프 디자이너) 부부를 만났다.

부부의 전원주택은 탁 트인 시야에 눈이 호강하고 코끝을 스치는 신선한 땅 내음이 먼저 반겨주는 경기도 가평에 위치해 있다. 콘크리트 집 두 채가 반듯하게 연결된 건물로 '존경과 행복의 집'이라는 이름을 내건 전원주택이다. 집의 첫인상이 아파트 동호수로 획일화 되는 시대에 이런 문패라니, 마치 외부인에게 건네는 친절한 인사말 같아 정겹기만 하다. 유명훈 한서형 부부는 왜 이런 집을 짓게 되었을까? 집주인의 라이프 스타일이 궁금해지는 찰나 말끔한 옷차림이 유명훈 대표와 편안한 미소가 아름다운 한서형씨가 반겨준다.

존경과 행복의 집은 두 개의 공간으로 분리되어 있다. 왼쪽은 도서관과 작업공간으로 사용하는 존경의 집, 오른쪽은 부부의 행복한 살림집으로 분리된 행복의 집이다. "저희 부부는 라이프 코칭 수업 과정에서 만났어요. 삶의 핵심가치를 찾는 수업이었는데 그러다 보니 처음 만났는데도 속 깊은 얘기를 많이 나눴죠. 그때 찾은 것이 남편은 존경, 저는 행복이었어요. 그래서 존경과 행복의 집이 된 거죠"

그럼 왜 가평을 선택했을까? 답은 의외로 간단했다. 발품을 팔아 찾은 이 땅에서 따뜻한 기운이 느껴졌기 때문이라고. 이 건물을 지은 임형남·노은주 부부 건축가 역시 땅 나름의 존재가치를 인정하고 존경해주어야 땅의 기운이 살아난다고 말하는 것을 보면 집주인과 건축가의 만남도 운명적인 것 같다. 부부는 자신들이 생각하는 삶의 핵심가치를 늘 기억하기 위해서 집 콘셉트를 존경과 행복의 집으로 결정했다. 신념이 확고해지자 건축가에게 집을 설계를 요청했다. 유명훈 대표는 "제가 하는 일이 기업의 사회적 책임과 지속가능경영과 관련된 것인데 제 스스로가 그렇게 살지 않으면 설명하기가 어려운 부분이

많아요. 그래서 생활 속에서 실천하려고 노력하고 있습니다"

아내 한서형씨 역시 개인의 지속가능한 경영을 돕는 일을 하면서 자신이 먼저 변해야겠다는 생각을 했다고. 부부에게 '존경과 행복의 집'은 삶의 가치를 실현하는 공간 이상의 가치가 숨 쉬는 곳인 셈이다.

도서관과 유명훈 대표의 사무실로 꾸며진 존경의 집으로 들어서자 한쪽 벽면에 설치된 4m 높이의 복층구조 책장이 시선을 사로잡는다. 부부의 독서 취향을 말해주는 책들을 보고 있자니 괜스레 마음이 설렌다. 책장 앞 큰 원목 테이블에 책을 쌓아두고 앉아 머물고 싶은 편안한 분위기가 느껴진다. 한서형씨는 이곳에서 긍정심리학에 관한 소규모 클래스 등을 여는 등 행복 에너지를 나누며 보람을 느낀다고. 과거 기업에서 웹사이트 기획, 프로젝트 매니저 일을 해왔지만 가평 주택으로 이사한 뒤부터는 캔들 크래프트와 긍정심리감정 전문가로 행복의 가치를 나누며 제2의 인생을 설계하는 중이다. "회사 다니면서 긍정심리학을 공부하다가 몰입 등에 관심을 갖게 되

었고 자연스레 이런 일을 하게 된 거죠. 향이나 긍정어 사용, 명상 등 긍정심리프로그램이 있고요. 페이스북을 통해 행복 에너지를 나누는 일에서도 행복을 느낍니다"

한 쪽 코너에는 한서형씨가 틈틈이 수집하는 아트 북들도 여럿 보인다.

"저는 사실 예술 작품도 좋아하지만 이런 아트 북들에 참 애착이 가요. 찬찬히 보고 있으면 힐링이 되는 느낌이 든다고 할까요? 제가 하는 일에 영감을 주기도 하고요. 아날로그적인 감성이 있어서 그런지 저는 아직까지 "종이 책"에 애착이 가요."

존경의 집 사무실은 유명훈 대표의 독립된 공간이다. 지루하지 않게 격식을 갖추면서 편안함이 느껴지는 그의 취향을 반영한 분위기. 평소 <Gentle & Grace>를 컨셉으로 생각했다는 유명훈대표는 의상을 고를 때나 예술 작품을 수집할 때도 이런 기준을 적용한다.

"과거 영국에서 생활한 경험에서 큰 영향을 받았는데요. 영국의 특징이 모던과 클래식의 공존이잖아요. 격식이 있으면서도 다양성이 있어요. 이런 느낌이 많이 반영되는 것이 옷이에요. 나중에 나이 들어서 직접 옷을 만들어서 남성복 패션 쪽으로도 도전해 보고 싶어요" 나이 마흔에 영국신사 같은 분위기를 갖고 싶다는 그의 취향이 소품은 물론 라이프 스타일에서도 고스란히 느껴지는 대목이다. 반면 아내 한서형씨는 소유보다는 즐기는 것을 좋아하기 때문에 남편의 취향을 존중한다니 닮은 듯 다른 부부의 이야기가 흥미롭다.

존경의 집 옆에는 부부의 생활공간으로 꾸민 행복의 집이 조화를 이루고 있다. 45㎡를 조금 넘는 작은 면적이지만 침실, 주방, 욕실, 다실까지 공간을 쓰임새 있게 분리해 아늑하고 실용적인 느낌을 준다. 큰 평수를 유지하며 매여 사는 것보다는 작지만 일과 휴식을 분리해 독립적이고 오래 머물 수 있는 집을 선택한 덕분이다. 행복의 집을 둘러보면 작은 공방처럼 한서형씨가 직접 만들고 수집한 소품들이 구석구석 채워져 있다. "저는 아기자기한 스타일을 좋아해요. 남편은 심플한 것을 좋아해서 그런 부분이 달랐는데 저희가 공통점을 찾은 것이 의미 있는 것을 좋아하더라고요. 작은 소품 하나도 이야기가 담겨있는 것으로, 그래서 하나를 사더라도 오랫동안 생각하고 사

요." 인테리어 소품 중에는 부엉이를 소재로 한 작품들이 많다. 부엉이가 부의 상징, 지혜에 대한 상징으로 좋은 의미를 가진 것도 있지만 부부가 데이트나 여행에서 가장 많이 구입했던 것이 부엉이 소품이기 때문이다.

이곳에선 창 너머로 보이는 자연 풍경도 멋진 액자가 된다. 창을 열면 도심에서 느낄 수 없었던 햇빛과 신선한 공기가 집안까지 들어와 가까이에서 자연과 마주할 수 있다. 잔병치레가 많았던 한서형씨가 행복해진 이유도 여기에 있다. 도심보다 조금 불편해도 자연주의를 생활화 할 수 있다는 것. 덕분에 내면의 소리에 좀 더 집중할 수 있는 여유도 찾게 됐다고. 소소한 즐거움과 생활에서 누리는 여유가 가득한 집. 한서형씨는 이런 이야기를 SNS를 통해 소통하고 나누는 일에서도 즐거움을 찾는다. 누군가 좋은 일을 얘기하면 같이 좋아하고 상대가 그 순간을 음미할 수 있도록 해주는 것에 의미를 두면 긍정성을 높일 수 있다고 믿기 때문이다.

유명훈 한서형 부부에게 앞으로 해보고 싶은 일을 물었다. 세계적인 휴양도시이자 예술가들에게 영감을 주는 음악도시-스위스 몽트뢰(Montreux)에서 열리는 재즈 페스티벌에 가고싶다고 했다. 또한, 남프랑스의 작은 도시-아비뇽(Avignon) 축제도 함께 언급하는 눈빛에서도 행복함이 묻어났다. 돌아서는 발걸음에 오후 햇살처럼 포근한 여운이 마음에 스며든다. 누군가 '어떤 집을 짓고 싶은가?'라고 묻는다면 그 안에 살아갈 마음가짐부터 정리해 볼 일이다.

도시와 미술

베를린의 대안공간

newpublicart@gmail.com

베를린의 대안공간
(Project Spaces in Berlin)

"Berlin ist arm, aber sexy" (Berlin is poor but sexy)

베를린에 관한한 가장 성공적으로 대중에게 어필되었으며 소비되고 있는 문구는 바로 이 슬로건일 것이다. 가난하지만 섹시한 도시라니. 이 얼마나 마음을 설레게 하는 섹시한 문장인가! 베를린 시장 클라우스 보버라이트(Klaus Wowereit)로부터 제창된 이 문구는, 가난한 예술가들과 창조적 계층(Creative class)을 베를린으로 끌어모으는 핵심적인 도시 이미지 슬로건으로 작용했다. 가디언(Guardian)지는 이 기막힌 돌림노래가 시작되고 10년 만에 가난한 도시에 불과했던 베를린이 유럽의 실리콘 밸리로 둔갑했다고 썼다.[1]

반면 도시연구 석학 데이비드 하비(David Harvey)는 저서 『반란의 도시 Rebel Cities』에서 베를린을 두고 다음과 같이 지적했는데, 두 문장 중 어떤 것이 더 현실에 가까운 지를 판단하는 것은 우리 독자들의 몫이다. "오늘날 베를린에서 태어나 살아가는 많은 터키인들은 무수한 학대와 모욕에 시달렸고 시내 중심부에서 쫓겨났다. 터키인

이 베를린이라는 도시에 얼마나 이바지했는지는 철저히 무시된다."[2] 하비는 통일 후 베를린 재건사업을 둘러싸고 벌어진 도시 상징자본 논쟁에 관해서도 비판적이다. 지방 정부기관의 후원을 받는 지역 건축가와 도시계획가들 중에 18-19세기 베를린 건축양식을 되살리려 노력하는 분파들이 있었는데, 그들은 특히 신고전주의 건축양식과 모더니즘 디자인을 표방한 독일 건축가 칼 프리드리히 싱켈(Karl Friedrich Schinkel)의 건축기호를 엄숙한 전통으로 채택하여 재건하고자 했다. 그 결과 민족주의적이고 낭만주의적 함의가 가득한 베를린이라는 지역 역사 및 건축유산 발굴 작업이 진행되었다. 여기서 베를린의 진짜 삶을 살아가는 이민자들에 대한 이해 과정은 철저하게 배제되었다.

이런 논의들을 배경으로 다시 최근 베를린의 동향을 살펴보면, BBC는 2016년 1월 "Can cool Berlin survive gentrification?"이라는 제목의 기사를 통해 베를린 미테 지구를 중심으로 펜트하우스 신축 등 럭셔리 자본이 빠

---

1) "Berlins 'poor but sexy' appeal turning city into European Silicon Valley", The Guardian, 2014.01.03.

2) 데이비드 하비, 『반란의 도시』, 에이도스, 189쪽.

Bruch und Dallas, Layout, 4 August 2016

르게 투입되고 있으며, 이런 추세라면 베를린은 예술 도시 정체성이 위협받을 것이라고 보도했다. 런던, 파리, 밀라노 등 유서 깊은 유럽 예술 도시가 상징자본을 구축하면서, 뒤로는 셈 빠른 이들이 잇속을 채우면서 변질되어 간 유럽 대도시의 수순을 밟고 있는 베를린에 대한 우려와 기대가 함께 드러나는 대목이다. 그렇다면 여기서 우리는 자연스럽게 다음의 질문을 던져볼 수 있을 것이다. 즉, 우리는 지금의 베를린을 가난하지만 섹시한 예술 도시로 바라볼 수 있을 것인가?

베를린 시장과 하비 둘 중 누구도 의도적인 거짓말을 하고 있다고는 생각되지 않는다. 그러나 낭만적인 시구는 스스로를 적극적으로 홍보하는 기념품으로 판매되고 있는 것이 사실이며, 사회주의자 하비는 도시의 거시적인 이면의 비판에만 관심을 기울이고 정작 도시의 디테일을 이야기하는 미시적인 저항에는 흥미가 없는 것처럼 보인다. 그러니 균형 잡힌 공정한 시각으로 베를린의 '도시예술성'을 판단하기 위해서는, 아래서부터의 위로의 자생적인 예술 움직임들에 관심을 기울일 필요가 있다.

베를린은 예술도시인가? 예술적인 도시인가? 라는 연구 문제에 의해 선택된 연구 대상은 베를린의 독립 예술 공간들이다. 우리식으로 이야기하면 대안공간, 실험

공간, 아티스트 런 플레이스 들을 일컫는다. 정부나 시의 보조금에 절대적으로 의존하지 않고, 독립적인 생존 방식으로 운영되며, 독자적인 자체 운영 방식을 가지고 있는 공간이라고도 규정할 수 있다. 비공식적으로 집계된 통계에 따르면, 베를린에 있는 공간들은 300개가 넘는다. 단일 도시에서 몇 백 개가 넘는 독립 예술 공간들이 존재한다는 것은 실로 놀라운 일이다. 이런 현상은 베를린의 대체 불가능한 도시정체성과도 밀접한 관련이 있는데, 베를린 장벽이 무너진 뒤 찾아온 자유의 공기, 스콰트 운동의 유구한 전통 등은 베를린 인디 아트 씬의 굳건한 뿌리이다.

베를린에 관한 또 다른 놀라운 사실 중 하나는, 인구의 절반 이상이 예술가라는 점이다. 독립 공간을 운영하는 이들도 대부분 예술가들이다. 자유방임적으로 운영되는 공간의 특성은 다양하고 기발한 공간의 특징과 직결된다. 공간 자체의 건축구조적인 캐릭터도 놀라울 만큼 다양한데다, 사운드아트/텍스트아트/퍼포먼스/행동주의/여성주의 등 동시대 미술의 테마를 모두 거치고 있다. 그러는 한편 우후죽순 생겨나고 있는 공간들의 '예술적 수준'이 전혀 검증되지 않는다는 문제점도 동시에 지적되고 있는데, 베를린에서 '진짜' 예술은 무엇인지, 예술가는

DISTRICT, THE MANY HEADED HYDRA, 14 August 2016

누구인지, 예술 공간은 무엇인지에 대해 아무도 규정하려하지 않으며, 예술의 생존자체가 희귀해져버리면서 일단 서바이벌 테스트를 통과한 예술과 예술가들은 무관심과 온정주의적 시각의 중간쯤에 위치한 방치 상태에 놓이게 된다. 때문에 베를린의 대안 예술씬은 점차 혼란에 빠진다. 다시 말해 "모두가 예술가다" 라는 요셉 보이스의 논란의 명제가 실현될 수 있는 증강현실적인 도시도 베를린이되, 누구도 유토피아를 검증하려고 나서지는 않는다.

이에 베를린 예술 종사자들 사이에서는 수준 있는 대안 예술과 문화의 기대치를 실현시켜 줄 것을 기대하는 목소리가 높아지고, 제대로 된 현대미술 전시를 볼 수 있는 새로운 공간들이 생겨나야 한다는 자성의 목소리가 높아지고 있는 가운데, 매년 여름 열리는 프로젝트 스페이스 페스티벌(Project Space Festival 이하 PSF)에 주목할 필요가 있다. 2014년부터 시작하여 현재까지 3회가 개최된 이 축제는 30개의 대안공간들이 8월 한 달간 하루씩 돌아가며 자신들의 공간에서 자체 행사를 하는 내용으로 구성되어 있다. 매년 100개 이상의 공간을 지원하며, 축제위원회와 심사위원이 공간의 내실성과 축제의 테마를 기준으로 참여 공간을 선정한다. 대안공간들에 대한 지지로 출발했지만 결과적으로는 참여공간의 정체성을 고민해서 만들고 공간들의 네트워킹 기능을 수행함으로써 나름의 필터링 효과를 동반하게 됐다.

대안 공간들의 규모는 대동소이하지만 공간의 숫자만큼이나 다양한 컬러가 존재한다. 베를린의 중심 미테(Mitte) 지구는 한때 '갤러리 지구'라고 불릴 만큼 다양한 예술 공간들이 있었으나, 페스티벌 디렉터의 말에 따르면 매년 축제 공간을 맵핑하면서 점차 변두리로 밀려나는 공간들을 보며 젠트리피케이션의 심각성을 절실히 체감한다고 한다. 최근 축제에 참가한 공간 중 피날레를 장식한 쿨레(KuLe)는, 미테에서 25년간 버티고 있는 전설적이며 대표적인 공간이다. 비영리 공간을 도시 중심부에서 수십 년 지켜볼 수 있다는 것은 기적 같은 일이다.

남동부 노이쾰른(Neukoelln)은 베를린 전역을 통틀어 젠트리피케이션이 가장 첨예하게 벌어지고 있는 지구이다. 불과 몇 년 전까지만 해도 저소득층과 난민들이 거주하고 베를린의 우범지역으로 분류되던 지역에 힙한 카페와 레스토랑, 클럽 등이 폭발적으로 생겨나면서 힙스터들의 새로운 성지로 등극하게 되었다. 노이쾰른에만 스

Frankfurt am Main, Parkview, 28 August 2016

Kule, NO AMNESTY ON GENOCIDE DEUTSCHLAND, 31 August 2016

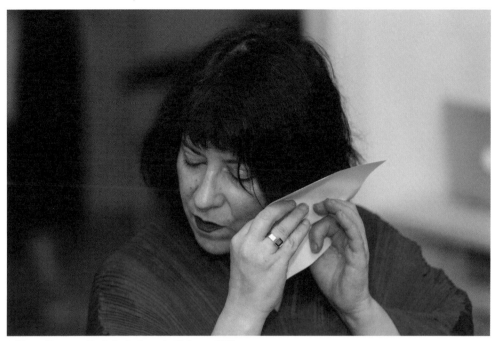

La Plaque Tournante, Music for Deaf people, 22 August 2016

무 개가 넘는 공간이 있으며, 자체적인 공간 연합 행사도 진행된다. 병원 진료실을 개조한 공간, 사운드 아트로 특화된 공간 등 재미있는 분위기이다.

서북부 모아빗(Moabit) 지구에 위치한 zk/u는 베를린 시로부터 버려진 기차역을 40년 동안 장기 임대하여 아트 스튜디오로 개조한 케이스로, 도시와 관련한 여러 프로젝트를 진행한다. 예를 들어 "도시 공간 침략자: 스트리트 해킹" 프로젝트는 베를린을 비롯해 유럽 대도시들의 경관을 구성하는 가로등, 벤치, 버스 정류장, 공공 화장실의 디자인을 담당하는 회사들의 독점현상에 문제를 제기하며 해킹이라는 급진적인 방식을 제안한다. 아티스트 레지던스도 함께 운영하고 있으며 매년 인천아트플랫폼과 스페이스 캔에서 파견된 한국 작가들이 입주한다.

PSF 운영회는 2016년부터 베를린 시로부터 기금을 받는데 성공했다. "사람들이 베를린으로 오는 이유는 베를린의 문화유적이나 클럽, 바에서 춤을 추고 맥주를 마시는 것뿐만이 아니라 베를린의 인디 아트씬에 대해서 관심이 있기 때문입니다" 라는 논리를 주장했고, 이것이 베를린 시로부터 받아들여졌다. 베를린 시는 도시의 인디 아트 씬을 좀 더 이해하게 되었고, 매년 서른 곳을 선정하여 2천유로 상당의 상금을 수여하고 있다. 인디 공간 운

영자라면 이런 섬세한 종류의 지원이 얼마나 절실한지 통감할 것이다. 2010년대 초반 한동안 유행처럼 생겨났다 없어진 서울의 신생공간들은 '휘발성'이라는 요상한 정체성으로 스스로를 규정했다. 이에 동의하든 동의하지 않든, 단어의 정체성을 제대로 논의할 기회가 주어지기도 전에 지금 이 순간에도 상당수는 널뛰는 임대료로 인하여 휘발되고 있다.

서울은 예술도시일까? 혹은 예술적인 도시일까? 라는 질문이 한동안 연구의 화두였던 때가 있었다. 서울의 인디 공간들을 찾아다니고 인터뷰를 진행하며 시간을 보냈었다. 그러나 그들로부터 되돌아온 젠트리피케이션 괴담들은 무시무시한 악몽이었고, 아침마다 나이브한 질문을 던졌던 자괴감으로 꿈에서 깼다. 베를린을 무결점 예술 유토피아라고 바라보기에는 아직 혼란의 상태이고, 시민들의 의식과 예술적 토양이 한국과 다르다는 점도 인정한다. 하지만 우리 미래의 한 시즌이 베를린을 닮는 것은 또 무엇이 그렇게 해로운가, 하는 자조적인 읊조림을 하게 된다. 그 희망은 과연 허황된 것일까? 현재 서울은 이 답에 대꾸할 의욕조차 없는 것처럼 보인다.

제1회 GRAVITY EFFECT 미술비평공모 수상작

이빛나, 〈양극의 보통〉

김지연, 〈선명하지 않은 밤의 풍경들〉

최나우, 〈아무것도 없는 게 전부인 세계〉

제1회 GRAVITY EFFECT
미술비평공모 수상작

<제1회 GRAVITY EFFECT 미술비평공모 심사평>

2016년에 시작한 Graphite on Pink의 <GRAVITY EFFECT 미술비평공모>에는 예상외로 많은 지원자들이 원고를 보내주어 미술비평공모가 무척 풍성하게 마무리 되었다. 지원공고를 수 개월 전에 냈기 때문에 지원자들이 마감일을 잊어버리지나 않을까 걱정했으나, 마감일 즈음하여 GRAVITY EFFECT에서는 동시대미술을 다룬 예비 미술비평가들의 다양한 글을 받아볼 수 있었다.

미술비평이 다른 비평 분야에 비해 유독 문화예술계에서 취약하기에 공모전을 진행하는 데 있어 우려가 되었던 점도 사실이다. 이번 미술비평공모에서는 국내미술대학이나 미술이론, 미술사와 관련한 학과들을 중심으로 이제 막 사회에 진출하려는 신진 비평가들을 대상으로 하였다. 이후에도 <GRAVITY EFFECT 미술비평공모>가 신진 비평가를 발굴하는 통로가 되기를 기대한다.

1등은 이빛나의 「양극의 보통」이다. 비슷한 시기에 열린 두 전시 박혜수의 개인전 <Now here is nowhere>(2016.2.23~4.9 송은 아트스페이스)와 작가 문성식의 개인전 <얄궂은 세계>(2016.3.9~4.2 두산 아트센터)에 대한 분석을 시도했다. 우리가 살고 있는 현실을 '보통'이라는 키워드로 전시에서 보여주고 있는 방법, 작가의 시선이 각각 어떻게 극명하게 달라지는지에 대하여 차분히 서술하였다. 두 전시를 하나의 주제로 모아서 분석한 것과 더불어 비평문에 작가의 이력과 전시의 내용이 꼼꼼하게 잘 드러나 있다. 또한 오늘의 한국 현대 미술에서 주목하고 있는 경향에 대해 비평하였다.

2등은 김지연의 <밤의 가장자리에서>(2016. 9. 1 ~ 10. 22 OCI 미술관) 전시에 대한 비평문, 「선명하지 않은 밤의 풍경들」이다. 김지연의 비평문은 문학적인 상상력이 두드러진 비평문으로 글을 읽는 독자가 전시장의 관람자가 된 듯 전시장 이곳저곳을 어두움에 대한 다채로운 표현과 함께 소개하고 있다.

3등은 최나우의 <보이드>(2016.10.12.~2017.2.5 국립현대미술관 서울관)전을 다룬 「아무것도 없는 게 전부인 세계」이다. 현대건축에서의 "보이드"가 가진 의미에서부터 존재적인 의미, 공간에서 갖고 있는 의미에 대해서 전시와 연결지어 분석하였다.

아쉽게 수상을 놓친 비평문에는 인도현대미술을 다룬 강민영의 「인도현대미술의 전환점은 언제나 '지금'에 놓여있다」와 김용익 작가를 다룬 김연희의 「가까이, 더 가까이」 김기혜의 「SeMA 창고 쇼케이스 SeMA Storage Showcase」가 있다. 세 글은 글의 연결성면에서는 우수하였지만, 동시대 미술을 다루는 주제에서 다소 벗어났다는 평가 아래 수상권에 오르지 못했다.

그 외에도 전반적으로는 국내에서 주요하게 동시대미술의 경향이라고 여겨지는 이슈에 대해서는 다룬 글이 부재하였다. 혹은 최근 주목받는 공간을 다루었지만, 글의 완결성이 부족한 글들이 많았다. 하지만 이러한 부족함을 보완해나가는 <GRAVITY EFFECT 미술비평공모>를 2회, 3회 지속적으로 진행해나가면 자연스럽게 미술계 이슈에 대해서 중요한 담론이 형성될 것이라는 기대를 걸어본다.

양극의 보통

박혜수의 개인전 〈Now here is nowhere〉(2016.2.23 ~ 4.9 송은 아트스페이스)
문성식의 개인전 〈얄궂은 세계〉(2016.3.9 ~ 4.2 두산 아트센터)

올해 초 비슷한 시기에 열린 작가 박혜수의 개인전 <Now here is nowhere>(2016.2.23 ~ 4.9 송은 아트스페이스)와 작가 문성식의 개인전 <얄궂은 세계>(2016.3.9 ~ 4.2 두산 아트센터)는 우리가 살고 있는 현실을 폭로하거나 그 현실 '바깥'으로 시선을 돌린다. N포세대로 대변되는 세대적 우울과 그 우울을 견딜만한 것으로 상쇄하기 위한 강박적 힐링 열풍 사이에서 만나게 되는 두 전시는 공교롭게도 모두 '보통'을 이야기하고 있지만, 어조와 형식은 물론 현실을 수용하고 변형하는 태도까지 극명하게 갈린다. 그것은 박혜수가 말하는 보통이 현실에 안착하기 위한 현대인의 조건이라면, 문성식이 말하는 보통은 삶의 논리를 구현하기 위한 방편이기 때문이다. 그러나 그러한 현상을 박혜수와 문성식의 작업적 스타일과 관점의 차이로만 볼 수는 없다. 판이한 두 전시는 지금 여기에 공존하는 양립적인 세계관을 현시한다. 다시 말해 한쪽에서는 끔찍한 현실을 규탄함으로써 살아갈 힘을 얻고, 다른 한쪽에서는 그 현실에 맞서는 대신 사람/자연의 내면에 집중함으로써 삶의 이유를 찾는 것이다. 그런 점에서 두 전시는 지금 여기에서 펼쳐지는 온갖 모순적 상황 속에서 서로 긴밀하게 연동하고 있는 시대적 징후라고 할 수 있다. 그리고 그 징후는 "Now here is nowhere"라는 희망적 폐허를 드러내는 동시에 "얄궂은 세계"라는 공허한 유토피아를 구축한다.

희망적 폐허

전시장에 들어서면 영롱한 오르골 소리가 들린다. 관객은 반사적으로 그 소리를 따라 작품 <Negative

song>(2015) 앞에 서게 된다. 그리고 '자연스럽게' 오르골의 태엽을 감는다. 오르골에는 악보로 보이는 종이가 감겨 있는데, 그 종이는 관객이 태엽을 감을 때마다 동그란 모양으로 뚫리게 되어 있다. 전시장 바닥에 종이 파편이 너저분하게 쌓여 있는 것은 그 때문이다. 사실 그 악보의 실체는 신문지로서 거기에는 부정적인 문구들이 실려 있다. 부정적인 문구가 많을수록 화음은 풍성해지고 연주의 완성도는 높아진다. 그러한 연주는 관객의 참여로 플레이되며, 아무도 태엽을 감지 않으면 연주는 자동으로 멈춘다. 그러나 전시장의 관객들은 자발적으로 태엽을 감고 오르골 소리는 지속적으로 반복된다. 부정적인 장면들이 파기(추방)될 때마다 아름다운 BGM이 깔리는 이 작품은 체제가 정해 놓은 견고한 가치/척도에 저항 없이 스며드는 우리의 모습을 오롯이 되비추고 있는 것이다. 작품 <World's best>(2016) 역시 체제가 만든 질서 안에 포박된 현실을 폭로한다. 전시장 2층부터 4층까지 수직으로 관통하며 현실의 밑바닥과 꼭대기의 '차이'를 단번에 알려주는 이 구조물은 전시장 천장의 높이 따위는 아랑곳하지 않고, 하늘 높이 치솟고 있는 1등의 초월적인 가치를 형상화하고 있다.

이러한 전시는 위층으로 올라가며 1등의 자리에서 밀려난 뒤에도 쉽게 차지할 수 없는 '보통'이라는 불가해한 자리(존재)를 추적한다. 2층과 3층, 3층과 4층 사이의 벽면과 계단에는 "지겨워요, 모든 게 아무것도 되지 않고 아무 쓸모도 없는 채로 숨만 쉬고 살면 안 되나요.", "우리 모두 얽혀있는 이 그물 안에 놀이에 웃으면서 져주고 알아서 기어주세요." 같은 냉소와 자조가 뒤섞인 텍스트가 붙어 있다. 그것은 <World's best>를 통해 확실하게 각인된 1등의 자리에 서지 못한 자들의 음성이다. 작가는 2013년부터 700명의 사람에게 실시한 설문을 바탕으로 아카이브를 하고, 작가 태이 요헤(Taey Iohe)에게 시를 부탁하거나 자신이 직접 에세이를 써서 현실에 대한 문제의식을 나타낸다. 그중 보통에 대한 세대별 시각을 표로 작성한 작품 앞에서 관객은 유독 오래 머문다(그/녀는 보통에 대한 타인의 시선을 자신을 비추는 거울로 삼고 있는 건지도 모른다). 700명의 사람이 바라보는 보통은, "진부"하고 "눈에 띄지 않는 것"이며(10대), "수동적인 사람"으로서 "아직은 되고 싶지 않은" 존재지만(20대), 그럼에도 "안정적"이기 때문에 "최소한 이 정도는 됐으면 하는 것"(3, 40대)이다. 그러한 보통은 연령이 높아짐에 따라 '보통'의 위치에 머물지 않고, 많은 이들의 이상향으로 빠르게 등극하고 있다. 자본주의가 초래한 세계 속에서 적응하고, 순응하며, 타협해야만 도달할 수 있는 현대인들의 비극적 희망과 마주하는 순간이다.

작가는 그러한 희망을 품는 대신 체제의 기준과 척도가 얼마나 가변적이고 허술한지 증언하기 위해 <가변적 평균대>(2016)를 설치한다. 어두운 방 안으로 들어가면 영화 <미션 임파서블>의 한 장면을 방불케 하는 광경이 펼쳐진다. 빨간 레이저 빔에 의해 수직과 수평으로 구획된 그 공간에는 10m의 평균대가 놓여있다. 관객은 그 평균대 위를 흔들림 없이 걸어가야 한다. 그렇지 않을 시엔 경고음이 울리게 된다. 예상대로 관객은 정신없이 울리는 경고음을 들으며, 그 방을 빠져나온다. 작품은 평균이란 모두에게 일률적으로 적용될 수 없는 것이며, 그러므로 개인의 고유성을 잠식시킬 위험이 있음을 표방하고 있다. 그러나 그러한 메시지는 관객에게 전달되자마자 증발해버리는데, 그것은 (작업적) 장치의 스케일과 복잡성에 비해 관객이 작품을 체험하고 사유할 수 있는 범위는 극히 제한적이기 때문이다. 결국, 평균이라는 폭력성에 대응하고 그것을 전복하려던 작가의 의도는 하나의 원리를 규정하고 그것을 관객에게 확인시키는 과정에서 실종되고 만다.

전시의 결말 부분에 해당하는 <Life piece>(2015)는 "삶의 목적과 방향을 잃은 사람들을 위해" 작가가 마련한 관객 참여형 작품이다. 관객은 도슨트의 도움을 받아 자신의 이야기-상태나 기억, 소망에 대한-를 메시지 카드에 적고 그것을 헬륨 풍선에 붙여서 하늘로 날려 보낸다. 관객이 작성한 메시지 카드를 발견한 사람은 그것을 사진으로 찍어 작가의 페이스북 주소로 보내줄 것을 요청받는다. 또한, 그 메시지 카드는 SNS를 통해 세계 여러 나라의 관객들에게 공유된다. 작가는 관객이 자신을 들여다보는 시간을 갖고 카드에 적힌 사연에 공감할 불특정한 사람들과의 관계를 맺도록 도와줌으로써 일종의 치유와 같은 효과를 기대했을 것이다. 그러나 이 작품을 통해 "삶의 목적과 방향을 잃은 사람"이 치유 받을 수 있을지는 의문이다. 1등의 대체물로 급부상하고 있는 '보통'에 분노하는 대신 피로와 상처에 "꿈"이라는 마취제를 투여함으로써 삶을 지탱시키려는 작가의 제스처는 현실적 무능함을 인정하고 일시적인 안정을 연출하는 것과 다를 바 없기 때문이다. 그것도 페이스북의 '좋아요'와 트위터의 리트윗의 '힘'을 빌어서. 물론 우리는 이 전시가 파국적 현실의 원인을 물으며, 체제의 좌표에 복속되지 않는 삶을 도모하려는 것임을 잘 알고 있다. 그러나 그러한 유의미한 싸움도 작품의 단일한 구조와 작가의 일방적인 의도 속에서는 후퇴를 맞을 수밖에 없다.

공허한 유토피아

박혜수의 <Now here is nowhere> 전에서 지금 여기에 새롭게 출현한 '우월한' 보통의 세계를 경험한다면, 문성식의 <얄궂은 세계> 전에서는 이미 항상 존재하고 있으나 우리에게 알려진 바 없으며, 앞으로도 당분간은 알려고 하지 않을 '보통'의 순간을 만나게 된다. 2013년부터 문성식이 집요하게 파고들고 있는 주제는 사람과 자연이다. <청춘>(2013), <싸움>(2013), <작별>(2014), <봄>(2015), <여름>(2015), <가을>(2015), <겨울>(2015), <사냥>(2015), <밤>(2016), <남과 여>(2015) 같은 작품들은 우리가 살아가는 가장 보통의 순간들을 포착하고 있다. 그래서 지금 같은 생존경쟁의 시대에서 보자면, 문성식의 작품은 다소 비현실적이며 심지어 '반시대적'으로 보이기까지 한다. 더 정확히 말해 체제가 권장하는 '현실 감각'에서 벗어난 그의 작품들은 평범하고 보편적인 이야기를 함으로써 낯설고 이질적인 것이 되는 역설을 보여준다. 그러한 '얄궂은 세계'는 우리가 알고 있던 대상의 의미를 초과함으로써 유지되며 그 안에서 사람과 자연은 지금 여기에 흡수되기보다 배회하거나 부유하는 일에 능숙하다.

작품에 등장하는 사람들은 하나같이 비루하고 초라하다. 발가벗은 노인이든 사랑을 나누는 연인이든 아들과 어머니의 초상이든 그들의 외관은 미적으로 끌리지 않는다. 그럼에도 우리가 그들에게서 눈을 떼지 못하는 이유는 그들이 뿜어내는 익숙하면서도 낯선 감각 때문이다. 가령 세 가지 버전의 <남과 여>(2015)는 각기 다른 사랑의 단면을 보여준다. 그것은 구체적으로 서로를 탐하는 육체적 더듬거림이고, 거친 맨얼굴을 보듬는 손길이며, 상대의 고통을 껴안은 채 살아가는 일이다. 그러한 그들이 주고받는 것은 숨으로 옮기는 담뱃불이고(<주고받다>(2013)), 누군가의 죽음 앞에서 쏟아내는 알아들을 수 없는 흐느낌이다(<작별>(2014)). 체제의 언어로 환원되지 않는 그 '보통'의 언어에는 정확한 기준과 척도가 없는 대신 원초적인 감각과 모호한 질서가 자리한다. 그리고 그 정직하고도 기이한 공간은 작가가 오랫동안 생각해왔던 유토피아, 즉 '숲'이라는 누구도 정확히 설명할 수 없는 세계로 이동하고 있다.

　외부와 차단된 <숲의 내부>(2015~2016)는 생존과 번식, 삶과 죽음이 동시다발적으로 이루어지는 공간이다. 거기에는 한 마리의 사슴을 차지하기 위해 언덕 위아래에서 진을 치고 있는 표범들이 있고, 새끼 새들에게 먹이를 물어다 주는 어미 새가 있으며, 까치를 두 발로 짓이기고 있는 부엉이와 그 광경을 보고 있는 까치들이 있고, 죽은 동물의 살점을 파먹고 있는 까마귀들이 있으며, 그 옆에는 벌목을 하거나 사냥을 하는 사람들이 있다. 그것은 언뜻 생태계 피라미드를 넓게 펼쳐놓은 듯 보이지만, 실은 삶과 죽음을 '객관적' 풍경으로 제시하고 있는 것이다. 그런데 과연 이 풍경을 유토피아라 할 수 있을까? 일반적으로 사람들이 상상하는 유토피아와는 다르게 그곳은 자신의 삶을 이어가기 위해 타인의 죽음이 불가피한 치열하고 끔찍한 세계로 묘사된다. 이는 우리가 현재 지독하게 앓고 있는 '생존경쟁'의 현장과 매우 흡사해 보인다. 그러나 그러한 세계를 숲의 '외부', 그러니까 현실의 세계와 동일한 것으로 보기는 어렵다. 무엇보다 <숲의 내부>에는 가장 온화한 얼굴로 성장과 발전을 촉구하는 강박적 허상이 없으며, 현실의 비극성을 은폐하거나 윤색하기 위한 작위적 서사가 개입되지 않는다. 거기에는 삶에 동반되는 고통이 있고, 그 고통에서 비롯되는 쾌락이 있을 뿐이다. 어떠한 긍정(희망)도 부정(절망)도 무의미한 <숲의 내부>에서 우리는 그저 압도당하고 철저히 무력해진다. 타인과 세계와의 불화가 없는 그곳에서 존재는 고립되고 언어는 독백이 된다.

　이렇듯 작가 박혜수와 문성식은 참혹한 지금 여기를 견디기 위해 또는 그것과 거리를 두기 위해 새로운 세계를 갈망하고 기획하는 일종의 공모 관계를 형성하고 있는 셈이다. 그들의 공모는 체제의 속성을 들추고 그 안에 사는 텅 빈 개인의 삶을 환기하거나, 현실에 등을 돌린 채 엄혹한 태도로 보통(보편)이라는 삶의 진리를 탐구하고 사색하는 방식으로 실행된다. 그러나 그들이 희구하는 새로운 세계는 부지불식간에 현실 법칙 안으로 수렴되거나, 극단적 수동성으로 귀결되는 바람에 관객은 작품의 행렬 속에서 길을 잃고 만다. 그러한 혼란이 두 작가의 작업적 전략인지는 알 수 없으나, 분명한 것은 저항으로 출발해 급작스러운 희망으로 마감되는 세계에서 낙관적 미래를 기대하기는 어려우며, 외부가 차단된 유토피아는 시대의 통증에 무감각해지는 최적의 공간이 될 수 있다는 사실이다. 요컨대 보통을 파괴하는 일과 보통을 구축하는 일은 양태는 다를지언정 '관계' 속에서 일어나는 운동이다. 이는 대립하고 분리될 뿐 아니라 결합하고 교환됨으로써 성립한다. 끊임없이 다르게 순환함으로써 획득되는 양극의 세계이다.

선명하지 않은 밤의 풍경들

〈밤의 가장자리〉展, (2016. 9. 1 ~ 10. 22 OCI 미술관)

　　푸른빛이 깔리고 점차 짙어진다. 그리고 깊어진다. 누구에게나 공평한 어둠의 시간이 주어진다. 어둠은 형체가 없지만 농도가 짙어서 만물을 한 순간에 덮어 버린다. 드디어 밤이다. 어떤 이들은 이 어둡고 깊은 시간을 단지 다음 낮을 위해 휴식과 수면을 취하는 대기 시간, 혹은 준비 시간으로 여긴다. 그러나 하루 중 절반을 차지하는 밤은, 낮의 부속품이라기보다는 하나의 독립된 세계다. 아침이 오기 전까지로 제한된 그 시간동안 우리는 각자의 밤을 보내며, 지난 하루와 더 오래된 과거를 추억하고 밝아올 내일과 더 먼 미래를 떠올린다. 상념의 웅덩이를 더 깊이 파 영감을 건져 올리고, 꿈속에서 무의식의 이미지를 발견한다. 해가 뜨면 한바탕 꿈처럼 사라질 어둠이지만, 유한하기 때문에 오히려 가슴이 더 선명해지는 시간이다. 그러니까 밤은, 어둠이 집어 삼킨 단절된 시간이 아니라 빛 속에서는 발견할 수 없던 것들이 진한 윤곽을 드러내는 새로운 탄생의 시간이다.

　　온다 리쿠의 소설 『밤의 피크닉』에서, 주인공들은 보통 날의 평범한 밤을 함께 걷는 것만으로 특별한 경험을 한다. 낮 시간 동안 감춰져 있던 비밀은 어둠이 짙어질수록 점차 모습을 드러내고, 밤은 그것을 극복하고 변화를 맞는 시간이 된다. 마치 이 소설의 장면처럼 누군가 달빛 아래를 걷고, 어둠 위로 가로등 불빛이 번지는 이미지들이 있다. 당장이라도 밤 산책을 나서면 만날 수 있을 법한 풍경들, 땅으로 내려오는 어둠을 맞는 인간의 몸짓. 평범하고 세속적이지만 아침이 오기 전까지 어떤 일이든 벌어질 수 있을 것 같은 예고편의 기운이 감돈다. 이것은 지난 가을 OCI 미술관에서 열린 <밤의 가장자리>전의 모습이다. 전시장 안은 흰 벽과 밝은 조명으로 이루어져 있지만 그 곳에는 분명 짙은 어둠의 농도가 느껴진다. 전시는, 단순히 물리적 시간으로서의 밤이 아닌 개념으로서의 밤, 그리고 예술적 경험으로서의 밤을 작가들의 예민한 눈을 통해 보여주고자 한다. 어둠 속에서 떠오른 영감과 이미지들의 흔적을 더듬는 여덟 작가들의 작품은

'1장, 범속한 밤의 풍경', '2장, 인식이 열리는 문', '3장, 꿈, 부유의 흔적'으로 나뉘어 층별로 전시되어 있다.

　'1장, 범속한 밤의 풍경'에서는 앞서 언급한 평범한 도시의 밤이 그려진다. 서동욱의 회화 <밤-한강유원지-양화지구>에서는 가로등 불빛 배인 쓸쓸하고 공허한 서울의 밤이 고스란히 들어 있고, 이어지는 박진아의 <문탠> 연작에서는 달빛 아래 친구들과의 즐거운 한때를 보내는 순간이 담겨 있다. 두 작가의 화풍은 전혀 다르지만 그들이 그리는 풍경들은 이 도시에 살고 있는 동일 인물의 경험이라 해도 이상하지 않다. 드라마 <심야식당>에 등장하는 도시의 인간 군상들처럼, 어떤 날은 친구와 술 한 잔 걸치고 밤이슬 맞으며 왁자지껄 걷고, 어떤 날은 달도 없는 어두운 골목을 가로등 불빛에 의지해 혼자 걷는다. 공허하고 쓸쓸하면서도 때때로 따뜻한 우리네 풍경과 다름 아니다. 박진아의 그림에서 돌아서면 보이는 서동욱의 <야행> 연작은 그렇게 밤을 보내고 난 사람들을 보여준다. 소파에 누운 채 잠든 사람, 혹은 피곤한 얼굴로 멍하니 아침을 바라보는 사람. 범속한 밤이 범속하게 끝나버린 뒤 다시 고단한 하루를 맞이하는 모습이 꽤 익숙하게 느껴진다.

　계단을 오르면 조금 더 깊은 밤이 찾아온다. 네 작가들의 작품을 모은 '2장, 인식이 열리는 문'에서는 눈에 보이는 풍경을 넘어 밤이라는 개념에 대한 고민을 담고, 어두운 시간에만 찾아오는 명상과 사색의 순간을 엿본다. 체험 전시 <어둠 속의 대화>에서는 어둠 속에서 시각을 제외한 다른 감각들이 극대화될 수 있다는 점을 이용해, 편견 없이 사물을 대하며 온 몸의 감각을 일깨우고 이로써 평소 인지할 수 없었던 제3의 가능성을 찾는다. 이와 같이 밤의 어둠 속에서는 일반적으로 시각적 경험은 줄어들지만 오히려 나머지 감각이 더욱 예민해지며, 낮 동안의 이성으로는 불가능한 것들을 찾아내기도 한다. 그것은 예술적 영감이기도 하고, 인지하지 못했던 사실의 발견이기도 하며, 오랜 고민의 답이기도 하다.

　김윤수는 울트라 마린 색상의 파스텔로 가볍게 드로잉 하거나 실로 수를 놓아 '그 밤'에만 품을 수 있었던 마음을 표현했고, 김미경은 깊은 밤에 찾아오는 사색들을 켜켜이 쌓고 찬찬히 정돈해, 정제된 도형의 모습으로 내 보인다. 김윤수와 김미경의 밤에 대한 사색들을 음미하고 나면 김기철의 <Antipode>를 만날 수 있다. 이 거대한 만화경은 지구 반대편에 있는 나라 우루과이에서 실시간으로 방송되는 라디오 소리를 애니메이션으로 변환하여 보여줌으로써, 우리의 낮에도 지구 어딘가에는 밤이 존재한다는 사실을 인지하도록 이끈다. 또한 형체 없는 밤을 소리로 대체하고 동시에 이것을 시각화 하는 작업을 통해 관객에게 밤에 대한 공감각적 시상(詩想)을 제공한다. 한편 도윤희의 회화 작품들은 각기 다른 밤들을 은유적으로 그려낸다. 작가는, 형체는 추상적이지만 전하고자 하는 감정은 더욱 강렬한 이미지들을 이용하여 '밤이란 무엇인가'라는 질문에 대한 보다 직접적인 답변을 제시한다.

　다시 계단을 오르면 조명이 약간 어두워진다. 현실의 밤을 지나 인식의 빗장이 열리고 깊은 잠으로 빠져든다. '3장, 꿈, 부유의 흔적'에는 더 신비로운 심연의 밤이 존재한다. 셰익스피어는 『한여름 밤의 꿈』에서, 자정 이후를 '요정의 시간'이라고 일컬었다. 그만큼 환상적이고 꿈같은 시간이라는 뜻일 테다. 이 마지막 장에서는 1층과 2층에서보다 더 깊은 새벽녘에 꾸는 꿈을 다룬다. 구현모의 설치작품 <달>은 거대한 원형 패널과 영상으로 달의 형상을 보여준다. 작가는 커다랗고 흰 달과 그 뒤의 눈썹달 같은 그림자, 모니터 영상 속의 달로서 자신만의 밤을 창조하는데, 그 밤은 소설 『무중력 증후군』에 등장하는 달이 여러 개인 세상처럼 비현실적이고 괴이하다. 한편 이해민선의 작품들은 맥락 없는 꿈속에서 조각조각 잘라낸 것처럼 거칠고 낯설다. 수석을 진열해 놓은 듯한 <무생물 주어>는 자세히 보면 어디서 떼어 낸 것인지 곧바로 상상이 되지 않는 기묘한 덩어리들이며, <의지>, <묶인 사이> 등의 설치 작품은 뜬금없고 위태롭다. 꿈속의 이미지들이 그렇다. 깊은 무의식에 저장된 경험과 사유가 보다 개념화·파편화되어 불현듯 등장하는 상징 이미지들은 친숙하지도 구체적이지도 않다. 그러나 이들은 자정을 넘겨 밤이 깊어지고 꿈도 깊어질수록 더욱 또렷한 형체를 드러낸다.

전시는 각 층을 지날수록 어둠이 더 짙어지고, 다음 장으로 넘어갈수록 점점 더 농밀한 밤을 보여준다. 기획자가 의도한 바인지는 알 수 없으나, 더 깊은 밤으로 향하는 듯 점진적인 시간의 흐름까지도 느껴진다. 그러나 이 흐름은, 아쉽게도 3장을 지나 다시 1층으로 내려오는 순간 갑작스레 문이 닫힌다. 범속한 밤의 풍경 사이를 지나 더 섬세한 인식의 문이 열리고, 무언가 깨달을 수 있을 것만 같은 실마리를 움켜쥔 채 꿈속으로 더 깊이 진입하지만 기대와 달리 꿈은 곧 끝나 버린다. 밤의 심연을 파헤치지 못하고 그 어둠의 표면 위만 부유하다 금세 막을 내리는 꿈이었다. 꿈에서 건져 올린 것에 대한 이야기를 조금 더 해주었으면 하는 것은 무리한 바람이었을까. 내 것이 아닌 타인들의 밤, 그것도 이불자락 한 귀퉁이를 조금씩 들추어 본 느낌이다. 그래서 전시의 제목이 '밤의 가장자리'라 한다면 아쉽지만 납득이 갈 수도 있겠다.

<밤의 가장자리>전은 형체도 없는 '밤'의 존재를 소재로 한, 흔치 않은 전시이기에 매력적이다. 그리고 수면과 휴식의 시간으로 간과해 버렸을 밤에서 의미를 재발견함은 물론, 밤이라는 물리적 시간과 어둠이라는 시각적 효과는 보편적이지만, 그 안에서의 경험과 사유는 이토록 특수하다는 것을 여덟 작가들의 작품을 통해 짚어 준다. 그들이 포착해낸 밤의 이미지들은 각기 다른 개성으로 어둠 속에서 빛난다. 다만 각 장에서 이미지들을 그저 나열하거나 깊은 꿈속에서 전시의 이야기를 끝내기보다 조금 더 또렷한 이야기를 해 주었다면 하는 아쉬움이 남는다. 어둡고 깊은 밤과 같은 지금 이 사회와도 어울리는 주제로서 말이다.

밤과 어둠, 그리고 꿈은 현실과 전혀 다른 환상의 시공간인 듯하지만, 그것을 경험하는 인간을 매개로 결국 현실의 시공간으로 귀결된다. 밤을 보내고는 아침을 맞이하고, 꿈을 꾼 뒤에는 반드시 깨어나며, 밤 동안 발견한 영감과 어둠 속에서의 사색은 예술작품이나 현실의 변화로 재탄생한다. 밤이 의미 있는 이유는, 그 어두운 시간 속을 헤엄쳐 낮에는 발견할 수 없는 무언가를 득함으로써 존재를 더 나아지게 하는 데에 있다. 그리하여 우리는 좀 더 예민한 감각을 지니고 선명한 삶으로 나아간다. 지금 이 곳의 현실은 어둡고 또 어둡다. 누군가는 그 어둠의 시간을 이어 미래를 짓고, 누군가는 어둠 속을 헤쳐 찰나의 영감을 잡아내고, 또 누군가는 눈을 부릅뜬 채 촛불을 든다. 짙고 농밀한 밤은 단지 아침을 위한 대기시간이 아니라, 그 자체로 아침을 밝히는 힘이다. 그러니까 밤의 가장자리만을 맴도는 꿈을 꾸다 끝맺을 것이 아니라, 더 깊고 깊은 밤의 내부로 파고 들어가 어둠 속에서 오히려 더 견고한 진실을 만날 수 있기를 바란다.

전시장을 뒤덮은 밤의 풍경을 벗어나 눈을 뜬다. 아직 해가 지지 않은 시간이지만, 어둠이 점차 내려앉으며 주변을 이불처럼 폭 감싸면 분명 다시 밤이 찾아올 것이다. 하지만 더 선명해지는 진실은 아직 눈에 띄지 않고 같은 꿈을 꾸는 밤이 반복된다. 이 전시에서 표면을 부유하는 이미지를 넘어 현실의 문제를 발견하는 것은 온전히 문을 나선 관객의 몫이다.

아무것도 없는 게 전부인 세계

〈보이드〉展 (2016.10.12 ~ 2017.2.5 국립현대미술관 서울관)

아무것도 없는 것을 상상하기

현대건축에서 보이드는 더 이상 빈 공간만을 의미하지 않는다. 건축의 안정성과 형태에 대한 신뢰가 중요하지 않아졌기 때문이다. "안정성에의 욕망과 불안정성에의 필요가 양립할 수 없지 않다"는 포스트모더니즘 건축가 렘 쿨하스의 지적대로, 이제 우리는 건축을 솔리드뿐 아니라 보이드로서 얘기할 수 있게 됐다. 그리고 이들 단위에서는 개인 의지로 '비워내는' 것과 무관하게, '비워진' 보이드들도 발견된다. 어떻게 비워낼 지를 고민하듯, 비워진 것을 상상해보는 것이다. 서사 예술에서 '빈칸(le case vide)'이 무의미의 의미를 드러낸 것처럼, 시각예술에서 보이드는 빈 공간이 '아무것도 없는 것을 상상(imagining nothingness)'하게 하는 개념이다.

서울관의 기획전 '보이드'는 이와 같은 현대건축의 흐름에 기초한다. 2013년 개관 이후 언제나 내용을 채우는 데에만 급급해온 드넓은 공간을 반성하기 위해, 보이드라는 인식틀을 통해 '공간'이라는 추상적인 개념을 다양한 방식으로 시각화하고, 나아가 서울관이 입지한 옛 기무사 터를 중심으로 서울 전반의 도시와 역사 속에서 '비워진' 시공간을 끌어들이는 기획이다. 선형적인 동선 대신 미술관 구석구석을 전시실로 활용해 건축 전반을 이용하게 만들었으며, 배경과 사용 매체가 각기 다른 작가들을 참여시켜 '보이드' 개념의 이해와 표현 방식을 최대한 다양하게 하는 데에 특이점을 지닌다. '보이드'라는 실제로 존재하지 않는 것을, 존재로 개념화하는 시도는 어떻게 나아갈 것인가.

참여작가들은 '보이드'를 독자적인 세계로 전제하고, 이를 개성있게 해석한다. 언제나 솔리드, 혹은 채워

야한다는 강박에 사로잡혀있던 국립현대미술관 서울관이라는 장소 안에서 '보이드'를 주인공으로 삼아 그것의 의미를 구체화하는 작업이다. '그냥 있는 것', 혹은 오직 '비어있기만 한 것', '쓰이지 않는 것'으로만 여겨져 외면되어온 공간에 집중해본다. 정말 아무것도 없던 것일까. 그래서 여기에서 무언가를 상상할 수는 있는 것일까. 아니면 아무것도 없어서, 모두가 수포로 돌아가버리는 걸까. 지금껏 눈밖에 있던 대상에 초점 맞추는 이 전시는 여러 가지 의구심으로부터 출발한다.

보이드의 존재론

옵.신은 끊임없이 빈 공간을 찾아 나선다. 아무도 의식하지 않는 계단 밑에 비어진 공간, 차단봉으로 가려진 뒷부분, 평소 바라볼 생각조차 안 하는 허공을 가리키며, 그 장소들이 "존재한다"라고 말한다. 옵.신의 간단한 그래픽 표식이 '비워진 곳'을 눈에 보이게는 하지만, 그것을 채우거나 용례를 바꾸지 않음으로써 '비어있지만 비워져있지 않은' 보이드의 존재를 드러내는 것이다. 전시 약도에 표시되어있는 옵.신의 작품 20개와, 실제로 맞닥뜨리게 되는 20개의 아무것도 없는 장소 사이의 간극에서 보이드는 현현한다.

장민승+정재일은 보이드가 공간적인 개념이라는 점에 착안해, 공간 자체를 느끼는 데에 집중한다. 아무것도 들여놓지 않은 채 어떻게 공간을 채울 것이냐는 문제설정이다. 이때 빛과 소리라는 무게 없는 감각이 공간을 느끼도록 하는 최적의 도구로 기능한다. 기존 화이트박스에 강한 빛과 큰 소리를 집어넣으며 전혀 다른 스펙터클의 공간을 체험시키는 작업이다. 일부러 비워낸 공간 '밝은 방'은 도면 상으로는 분명한 보이드지만, 미처 표기되지 않는 시청각이 그곳을 가득 차게 만들고 있다. 옵.신의 작업이 '인식하지만 비어있는 공간'이었더라면, 장민승+정재일의 협업은 '체험하지만 비어있는 공간'으로 나타난다.

보이드의 존재를 이미 전제하고, 나아가 보이드의 국가적 특징까지 살피는 작업도 있다. 최춘웅은 건축가라는 자신의 배경을 살려 보이드 개념에 대한 이해를 건너뛴 채 '원래 있는 보이드'를 더욱더 탐구하는 태도를 견지한다. 국내 설계도면에서만 유독 발견되는 표기법이라는 'X'라는 문자를 사용해 영속적인 건축과 정반대의 특징을 지닌 일회적인 연극으로 꾸미는 것이다. 도면상으로는 존재한다고 표기되는 '보이드'가 한국에서는 왜 하필이면 '없다'는 함의를 갖는 'X'로 표현되는가 라는 아이러니를 여러 차원에서 풀어낸다.

반대로 건축을 전공한 미디어 아티스트 김희천은 보이드 존재 자체를 의심한다. 보이드가 존재한다고, 혹은 인식하거나 체험할 수 있다고 하는 생각은 허상일 뿐이라는 것이다. 어차피 사람의 스케일에서는 당장 주변의 몇 평 정도만이 공간의 전부이기 때문에, '보이드'는 기껏해야 건축 전체를 바라보고 설계하는 건축가의 스케일에서만 존재할 것이라는 지적이다. '요람에서'라는 모빌을 지칭하는 제목은 어디에 눈을 두어야 할지 모르는 아이의 세계를 의미하면서, 전시실 한쪽 벽면을 통째로 사용하여 스케일 문제로 영상을 제대로 관람할 수 없는 환경을 이야기한다.

한편 오픈하우스서울은 앞선 네 작가와 다른 위상을 갖는다. 보이드가 추상적일지언정 그래도 이 공간에 존재한다는 전제에 기초하는 다른 작가들과 달리, 도시 단위로 나아가 꽉 찬 건축물 자체를 보이드로 이해한다거나, 아예 공간이 아닌 시간 단위에서 역사 속 빈틈을 찾아내는 일까지 나아가고 있다. 전시실에 설치한 그래픽 작업 '보이드 폼'은 보이드를 면밀히 해설하기보다는 '건물 속 보이드', '도시 속 보이드', '역사 속 보이드'라며 개념의 범위를 확장시키는 데에 목적을 지니고 있으며, 이는 곧 오픈하우스서울이 기획하는 미술관 외부 프로그램 '보이드 커넥션'과 연계성을 맺는 전제로 사용된다. 이 전시의 기획이 비록 국립현대미술관 서울관을 기반으로 비워져있는 공간을 탐사하는 데에서 출발했다고는 하나, 현대건축의 흐름이 보여주듯 '보이드'라는 개념의 확장성 또한 제외해서는 안된다는 사실을 주지시킨다.

수많은 비워진 공간을 찾아내 집중하는 옵.신, 일부러 공간을 비워 그것을 다른 방식으로 채우는 장민승+정재일, 보이드를 2차원으로 접근해 전혀 다른 방식으로 3차원화하는 최춘웅, 보이드 존재에 의심을 부치는 김희천, 도시와 역사라는 가장 넓은 범주에서 보이드를 다루는 오픈하우스서울까지. 보이드의 전혀 다른 성격들을 강조해 다양한 상상을 요구하는 작가들 덕분에 보이드의 존재론은 풍부해진다. 그렇다면 이제 일련의 존재론을 바탕으로 전시는 다시 묻는다. 생소한 개념어를 딛고 나와 '아무것도 없는 것'을 어떻게 상상할 것인가. 현대건축의 흐름이건 미술관 장소성의 맥락이건 어쨌거나 '보이드' 전시가 중요하게 좇는 것은 이 개념의 가능성이다.

보이드의 가능성

비워진 공간의 존재를 드러내거나 드러내지 못했느냐는 여부에 따라서, 나아가서는 비움이라는 특징 이외의 '보이드'가 갖는 다른 가능성을 드러냈느냐에 따라서 참여 작가의 층위를 나눌 수 있을 것 같다. 물론 방점은 후자에 찍혀있다. 중요한 건 보이드가 있으면 있는 대로, 없으면 없는 대로, '보이드'라는 생소한 개념의 필요성을 설득시키는 데에 있기 때문이다.

먼저 장민승+정재일, 최춘웅은 보이드를 공간적 층위에서 해석하는 부류에 속한다. '밝은 방'은 빛과 소리라는 장소성에 관한 기초적인 현상학적 방법론을 사용해 그 안에서 '비움'을 성찰하는 데에 의의를 두고, '실종된 X를 찾습니다'는 2차원 설계도면을 3차원 연극 무대로 옮기는 데에서 가능성을 찾는다. 공간을 감각적으로 혹은 개념적으로 집중함으로써, 보이드라는 텅 빈 공간을 가리키는 방식이다. 그렇지만 두 작업 모두 보이드를 주인공으로 가져온 다음의 완성도는 떨어지는 모습이다. 장민승+정재일은 큰 규모의 전시실에서 말 그대로 빛과 음악만을 설치하는데 그쳐, 전시실로 향하는 수많은 계단과 기나긴 복도 등 또 다른 '보이드' 공간은 외면해버렸다는 안일한 방법론적 문제를 보였고, 최춘웅은 건축적 전문성을 바탕으로 많은 리서치를 준비했으나 그것을 고작 어떤 도면이나 건축가 상징으로 단순화시키는 데에 그친다는 실천적 문제가 나타났다. 두 작가가 보인 개념과 감각 사이 간극을 다른 방식으로 메웠더라면 한결 나았을 것이라는 아쉬움이 남았다.

반면 보이드를 지칭하고 인식시키는 것으로 작업을 완결시킨 옵.신은 가장 완성도 높았다. 사람들에게 익숙지 않은 공간을 그들의 본래 직업인 출판업에 대유하여, 사람들이 계속 걸어서(책장 넘기기) '아무것도 아닌 것'(페이지)을 찾고, 그 '비어있는 것'에 집중하고 읽는다는 동선 구조를 '책'이 함의하는 사유의 흐름으로 빗댐으로써, '보이드'라는 개념을 이해시키는 데에 전략과 실천이 잘 어우러졌다. 또한 그들이 작품화한 지점들은 마냥 비워진 공간만이 아니라 사용되지 않는다거나 주목받지 못한다는 의미와도 합쳐져, 아무도 관심주지 않던 구석구석을 장소화시키는 데에서 의미를 창출하는 데에까지 나아갔다. 과연 어느 누가 이들을 장소로서 집중할 수 있다는 가능성을 생각해 보았을까. 더불어 시시각각 달라지는 햇빛이나 사람들의 목소리와 같은 상황성까지 끌어들이며 '보이드' 장소가 갖는 특성은 한층 다양해질 수 있었다.

주제에 대한 이해보다 작가적 견해를 드러내는 작업도 있었다. 건축 전공이라는 배경을 뒤로 미술작가로 활동하고 있는 김희천은 '보이드' 존재 자체에 의문을 제기하는 것이다. '스케일'이라는 논거를 작업 주제로 삼아 영상을 도저히 관람할 수 없는 시야각을 설정하고는, '보이드'를 볼 수 있는 건 옆에 놓인 모형에서나 가능하다는 조롱섞인 스케일게임을 보여준다. 또한 이에 머물지 않고, 이내 김희천은 두 주체 사이에 스마트폰 주체를 등장시켜, 스마트폰이 갖는 확대/축소 기능을 통해 그 간극을 해결할 수 있다는 해결책을 내놓는다. 지금까지 보이드는 건축가들의 말장난에 불과했고 일반인들은 까마득할 수밖에 없었지만, 지금 시대 스마트폰을 이용하는 우리라면 '아무것도 없는 것을 상상'하는 능력을 갖출 수 있다는 논조다. 비록 스케일게임과 관람 환경 조성에 집중한 이번 전시에서 작품 영상은 단지 주제의 도구로만 활용되고 말았으나, 주제에 대한 해석과 그에 뒤따르는 개념 제시에 이르기까지 높은 개연성이 돋보인다.

마지막으로 무작정 '모든 것이 보이드가 될 수 있다'고 말하며 맹목적인 존재론을 얘기하던 오픈하우스서울은, 이를 전제로 하여 가장 폭넓은 보이드의 가능성을 보여주고 있다. '보이드 폼'에서 고집했던 다양한 종류의 보이드를 '보이드 커넥션'이라는 답사, 강연 프로그램을 통해 찾아내고 있는 게 그들의 작업으로, 미술관 안에서 모든 보이드를 다룰 수는 없다는 전시의 한계를 극복하려는 기획의도가 돋보인다. 전시 주제가 갖는 장소성의 조건으로부터 비켜서서 주제를 더욱 확장시키는 참가 의의가 중요한 팀이었다.

상상이 실제가 될 때

전시는 '공간'을 새롭게 상상시키기 위해 '보이드'를 인식틀로 다양한 작품들을 한데모으고, 작품들을 통해 어떻게 새로운 공간이 실제화될 수 있는 지를 살피고 있다. 물질 없이도 공간이 채워질 수 있다는(장민승+정제일의 현상학적 작업), 지금까지와는 다른 방식으로 공간을 채우려 하는(최춘웅의 매체 교차적 작업), 지금까지 미처 인식하지 못한 공간을 찾아내는(옵.신의 개념 성찰적 작업), 마지막으로 아예 다른 차원에서 공간을 이야기하는(김희천의 스마트폰 작업) 방식은, 여태 추상적으로만 여겨온 공간을 소개하기 위한 친절하고 다양한 구성이다. 궁극적으로 '보이드' 전시는 항상 추상적인 묘사에 그치던 장소성과 공간성이라는 개념을 가장 구체적인 물성을 담보하는 건축의 언어를 통해 설명한다.

다양한 유형의 작가 선정은 공간을 어떤 방식으로라도 가닿게 하기 위함인데, 여기에는 장소성과 같은 여타 성질을 이해시키기 위한 전략 또한 함께 담겨있다. 국공립미술관이 갖는 장소적 제약이라는 현실적 문제를 해결하기 위해 옵.신의 장소 입지에 개의치 않는 작업과 오픈하우스서울의 답사와 강의프로그램을 이용하는 것이다. 공간에 시간까지 덧대어져야 발생하는 게 장소성인 까닭에, 한시적인 전시 속 공간과 더불어 역사와 주변의 맥락을 설명하는 프로그램들을 전시 동안 운영한다. 실제로 구축된 것 혹은 그때까지의 과정을 설명하는 데에만 매몰한 게 그동안의 건축전시였다면 '보이드' 전시는 정반대로 구축되지 않은 '없는' 공간을 얘기하고 있으며, 꼭 주인공을 선정한 뒤 주변을 살폈던 기존의 장소성 대신에 역사라는 넓은 범위 속에서 장소의 또다른 의미를 살핀다고 할 수 있다.

'없는 공간'을 상상하는 시도는 일차적으로는 더 이상 짓는 게 전부가 아님을 밝힌 현대건축과, 그에 따라 건축과 미술을 융화하려는 시도에 대한 응답으로 여겨진다. 으레 건축전시가 그렇듯 실제 건축을 설명하는 부차적인 용도에 그치지 않고, '짓는 일' 이외의 탈출구를 마련해야하는 건축에게 전시가 먼저 또다른 공간성을 제시하는 것이다. 채우는 게 전부였던 건축과, 그런 건축을 따라서 채우는 걸 증명하기 위해 미술관을 매꾸던 기존의 건축전시와는 정반대로, 공간성 체험을 넘어 공간을 재고하도록 한다. 특히나 정말 스마트폰 세계를 살아가게 된 현실, 그 속에서 이뤄지는 전혀 다른 방식의 물질화 같은 사례는 재래의 관점에서는 '아무것도 없는 것'에 그쳤겠지만, '보이드'를 상정한 세계에서는 그것을 실재로 받아들여질 가능성도 엿보인다. '보이드'라는 인식틀은 '아무것도 없는 상상의 세계'를 추정하는 일을 넘어, '아무것도 없는 실제의 세계'를 뉘우치는 역할까지 지니는 것이다.

건축전시라며 '실제로 구축된 무언가' 혹은 미술전시라며 '상상을 구현한 무언가'를 기대한 관객은 이 전시를 통해 둘 사이의 관계를 새롭게 생각해볼 수 있을 테다. 피상적인 개념이던 '공간'과 막연히 설명하던 '보이드'라는 개념은 존재 증명을 분명히 하고있다. 이를 통해 '아무 것도 없는 게 전부인 곳'을 확인했다면, 우리는 그 상상력을 바탕으로 이미 도처에 존재하고 있던 실제의 보이드들까지 찾아볼 수 있을 것이다. 아무 것도 아닐 거라는 상상은, 도리어 그것이 전부일 수 있다는 역설을 가능토록 해준다.

2016 비평페스티벌
Graphite on Pink 비평 어워드
수상자 인터뷰

유은순, 문선아, 장진택 비평가

2016 비평 페스티벌
Graphite on Pink 비평 어워드
수상자 인터뷰

GRAVITY EFFECT 3호에서는 2016년 10월 21-23일까지 미술주간에 열렸던 비평페스티벌 수상자 1,2,3 등의 소감을 싣는다. 미술전문 출판사 Graphite On Pink의 후원으로 열린 비평상을 통해서 향후 이 분야의 비평가들이 동시대 미술의 현장에서 젊은 비평가로 자리매김하기를 기대해 본다.

1등 Graphite On Pink 비평상 /
유은순 arraco@naver.com

1. 간단한 자기 소개.

유은순(1985)은 홍익대학교 회화과와 예술학과를 졸업하고 동대학원 미학과에서 "니체의 예술생리학과 예술비평"으로 석사학위를 받았다. 2013년부터 현재까지 서울시립미술관 난지미술창작스튜디오에서 근무하

고 있으며, 삶과 예술에서의 감성적/미적 경험에 주목한 비평적 글쓰기에 관심을 갖고 있다. 2016 비평페스티벌 'Graphite on Pink'상을 수상하였다.

2. 이번 비평페스티벌에 참여하면서 준비과정이 어떠했는가.

문소현, 반경란 작가님은 이번 기회를 통해 알게 되었다. 비평적 방법론에 정도는 없다고 생각하지만, 개인적으로 비평은 작품에서부터 시작하여 작가와 삶의 관계를 모색해야 한다고 생각하기 때문에 작품을 일차적인 근거로 두고 작가분들과 대화를 나누었다.

문소현 작가님의 경우 2016년 제작한 12채널 비디오 <공원생활>이 그 자체로 매우 풍부한 이야기를 갖고 있었고, 이전 작품들과의 연관성을 찾을 수도 있었기에 <공원생활>을 중심으로 발표하자고 작가님께 제안하였다. 작품은 기승전결이 있는 구조가 아니라 작가가 공원에서 활동하는 현대인을 관찰하면서 수집한 이야기를 퍼펫애니메이션으로 제작, 편집된 12개의 영상이 싱크되

지 않고 계속 반복되는 구조를 지니고 있다. 그래서 나는 작품세계를 관통하는 몇 가지 키워드를 정리하여 발표하기로 하였다. 비평페스티벌을 통해 문소현 작가님이 가진 잠재적인 문제의식을 표면화시키고 작품세계를 언어로 정리하는 기회가 되기를 바랐다.

반경란 작가님의 경우 종교적인 믿음을 주제로 회화작업을 하고 있었다. 나는 독일 현대미학을 전공했기 때문에 작가님이 작품에 대해 설명하는 바와 내가 작품에서 읽어내는 바가 서로 평행선을 걷는다고 생각하였다. 동일한 모티프에 대해서 비슷한 관점을 가지면서도 그것이 종교에 기반을 둔 언어이냐, 아니면 철학에 기반을 둔 언어이냐에 따라 표현이 달라질 수 있다는 것을 알게 되었다. 그래서 서로의 다름을 인정하고, 작가님의 작품에 등장하는 모티프 - 침묵, 수도자, 자연풍경, 구원 - 를 서로의 언어로 풀어내고자 하였다. 나는 작가님이 이때까지 받아온 글들은 대부분 종교적 시각에 기반해 있었기에 그렇지 않은 측면에서 적극적으로 작품을 해석하는 한편, 이를 통해 종교적 회화일지라도 비기독교인에게 보편적인 언어로 이해될 수 있을 것이라고 생각하였다. 반경란 작가님의 작품에 근거해 종교적 모티프를 철학적 언어로 해석해볼 수 있는 기회이자 도전이기도 하였다.

3. 비평페스티벌에 대한 총평.

2016비평페스티벌은 '비평하기'에 대한 구체적인 모델을 볼 수 있는 자리였다. 추상적으로만 다가왔던 비평하기의 방법론은 발표를 통해 보다 생생하게 다가왔다. 발표에서 비평가들은 때로는 조력자로서, 때로는 페이스메이커로서, 또 다른 예술가로서 작가와 함께하였다. 비평가로서의 수행방법이 발표자들의 수만큼이나 다양한 것을 목도하고서, 나 역시 '비평하기'에 대한 고유한 방식을 다듬어나가야겠다는 다짐이 들었다.

4. '발화적' 비평 형식에 대해서 어떻게 생각하는가.

발화는 발언의 주체와 관객이 일대 다수로 만난다면 글쓰기는 글과 독자가 일대일로 만난다. 발화는 오랜 시간 준비했을 지라도 그 순간 그 자리에서 대화의 상대방이나 관객의 분위기에 의해 즉흥적으로 수정되고 변화를

거치는 반면, 글쓰기는 오랜 시간 다듬어져 만들어진 후 시공을 넘어 회자된다. 변화하는 것은 독자와 독자를 둘러싼 시간이지, 글이 아니다. 그러므로 글은 역사가 되고, 변화하는 시공간에 따라 다시 읽혀진다. 아직 경험이 부족하지만, 많은 비평가들은 글을 통해 독자와 만나는 것을 선호하는 듯하다. 비평가들이 다수 모여 하나의 작품이나 작가에 대해 토론하는 문화가 부족하다. 그래서 독자들은 비평가, 큐레이터의 글들을 종합하여 분석한다. 글쓰기는 사람을 사려 깊게 만들지만, 한편으로 글쓰기는 사람의 의견을 독단적으로 만들 위험성도 함께 존재한다. 일방향이기 때문이다. 발화적 비평은 그에 반해 작가와 비평가, 비평가와 관객의 의견교환이 이루어지고 그 자리에서 수정, 변화, 발전할 수 있는 장이 될 수 있다고 생각한다. 비평은 말하기와 글쓰기를 통해 함께 병행될 때 보다 정확하고 설득력을 지닐 수 있다고 생각한다.

5. 이번 비평페스티벌에 기획자이면서 비평가로 참여한 경우가 많았다. 큐레이터적인 글쓰기와 비평적 글쓰기에 대해서 차이점이 있다고 생각하는가.

큐레이터와 비평가 모두 사회와 예술에 대한 통찰에 기반을 두기는 하지만, 감각/감성적인 경험을 제공하는데 초점을 맞추는 큐레이터와는 달리 비평가는 감각/감성적인 경험을 다시 언어화하고, 경험을 분석하는데 보다 초점을 맞추고 있다고 생각한다. 큐레이터에게 요청되는 글쓰기가 사회-현상, 예술-작품을 종합하는 글쓰기라면, 비평가는 사회-현상, 예술-작품, 전시를 해석하고 분석하는 글쓰기라고 생각한다.

6. 평소에 어떤 전시 혹은 어떤 작가에게 주목하는가.

동시대 젊은 예술가의 활동을 관심있게 지켜보고 있다. 특히 회화가 사회와 실천적으로 연결될 수 있는 가능성과 미디어아트에서 신체의 개입이 일어날 수 있는 가능성을 가진 동시대 작가에게 주목하고 있다.

7. 향후에 어떤 비평가로서 활동하고 싶은가.

2016비평페스티벌에서는 비평가의 여러 모델이 제안되었다. 내가 행하고자 하였던 비평의 수행 방식은 '조력자로서의 비평가'에 가장 맞아떨어진다고 생각하였다. 작가가 작품에서 주제화하는 방식, 감각/감성적으로 풀어내는 방법을 언어로 풀어내고, 현학적이거나 독단적이지 않게 작가-작품-경험-삶의 관계를 구체적이고 명증한 언어로 풀어내고자 한다.

2등 비평페스티벌상 /
문선아 thisissuna@gmail.com

1. 간단한 자기 소개.

문선아는 대학교에서 철학을, 대학원에서 미술이론을 공부했다. 2012년 9월 한국예술종합학교와 문래동 일대에서 온화한 관계 맺기를 공동 기획했고, 2013년부터 2년 동안 월간 『퍼블릭아트』의 기자로 활동했다. 2015년 11월 국립아시아문화전당에서 열린 개관전 <플라스틱 신화들>에 어시스턴트 큐레이터로 참여한 바 있으며, 현재 독립 큐레이터 활동하며 미디어와 세대 이론에 기반한 '시대정신'시리즈를 기획하고 있다.

2. 이번 비평페스티벌에 참여하면서 준비과정이 어떠했는가.

이번 페스티벌을 통해 공간과 기억, 운동성에 대해 관심을 가지고 작업해 오고 있는 한우리 작가와 같이 팀을 이루게 됐고, 관심사를 공유하는 부분이 있어서 재미있게 작업했다. 전체 참여자가 만났던 단체 모임에서 처음으로 만났는데, 마침 자료들이 있다고 해서 개인적으로 작업에 대한 전반적인 프리젠테이션을 들었다. 이후 온·오프라인으로 더 만나 이야기를 하면서 서로의 생각을 정리했다. 비평페스티벌을 준비할 당시, 주최측으로부터 비평의 다양성을 확보하기 위해 퍼포먼스적 요소를 강조해도 좋다는 말을 들었다. 개인적으로는 비평이니만큼 '글'을 생산하면서도 단지 비평 글을 보여주는 것 이상의 실험을 하고 싶었다. 글로써 하는 비평은 평소 혼자서도 할 수 있는 일이었기 때문에 작가와 함께 하는 형식을 취하면 좋겠다고 생각했다.

서로 이야기를 하면서 맞춰가던 중, 작가의 작업을 바라보는 나의 언어와 작가의 언어가 교차하면 재미있을 것 같다는 데 의견을 모았다. 한우리 작가의 작업이 일상 속 차이에 대한 이야기를 내포하고 있기 때문에 우리의 언어 사이에서 차이를 드러내는 방식이야말로 그의 작업을 가장 잘 이야기할 수 있는 비평이 아닐까 생각했다. 따라서 시작과 끝이 없는 비평글을 작성하고 작가에게 메모를 받아 글 사이사이에 틈입시켰다. 글의 시작과 끝은 작가의 메모였다. 비평은 작가의 작업에서 비롯되고 끝난다고 생각했기 때문이다. 이 비평의 특성을 잘 살리기 위해 퍼포먼스로 진행하기로 했고, 나머지 디테일한 부분들은 아주 자연스레 진행됐다. 둘 중 한명이 아이디어를 내면 시도해보고 좋은 방향으로 적용했다.

3. 비평페스티벌에 대한 총평.

비평이 무엇인가에 대해서 평소에 고민을 꽤 많이 해온

편이었다. 대학원을 다니면서 비평 모임에서 활동했고, 기자로 재직하면서 다양한 비평을 접하고 스스로 썼다. 그 과정에서 사람들이 생각하는 비평의 의미는 모두 다르다는 결론에 도달했다. 모두가 다른 방식으로 그 개념을 이해하고, 그에 맞는 비평을 수행하고 있었다. 이후에는 그렇다면 나의 비평은 무엇인가에 대해서 고민해왔고 아직 결론은 못내렸다. 비평 페스티벌은 그러한 입장들을 살펴보는 장을 마련한다는 점에서 그 의의가 크다고 생각했고, 실제로 나의 방식이 아니라 타인의 방식을 살펴볼 수 있어서 큰 도움이 됐다.

또 한 가지 얻을 수 있었던 것은 '함께 하는 경험'이었다. 미술계에서 작가와 비평가, 큐레이터 사이의 거리가 있으리라고 생각한다. 직업적 특성인 탓도 있지만, 그럼에도 "같이 무언가를 해볼 수는 없을까?"라는 고민을 해왔다. 한우리 작가와 함께한 공동 작업은 그 가능성을 봤고, 소중한 시작점이 될 것 같다. 그리고 이 과정에서 작가의 작업을 제대로 잘 읽는 것이야 말로 비평의 중요한 전제 조건임을 다시 한 번 깨달았다.

4. '발화적' 비평 형식에 대해서 어떻게 생각하는가.

'발화적 비평 형식'이 무엇을 의미하는지 명확하게 모르

겠지만, 이번 비평 페스티벌에서 선보인 대중 앞에서 다양한 방식으로 이야기를 하는 비평의 형식을 이야기하는 것이라면, 담론이 확장될 수 있는 열린 구조를 형성한다는 점에서 아주 흥미로운 방식이라고 생각한다.

이 방식을 통해 비평의 주체들은 '글'이라는 하나의 매체에 얽매이지 않고, '글', '말', '행위'들을 자유롭게 결합해 자신의 생각을 전달할 수 있다. 주체·관객·대중들은 서로 즉각적으로 반응할 수 있고, 추가 의견들이 발화되고 대화를 통해 담론은 자유자재로 확장될 수 있다. 약간 보수적인 입장에서 작가가 작업으로 이야기 하듯, 말해지지 못한 것들을 풀어내는 글로써 진행되는 비평이야말로 비평의 정수라고 생각하지만, 발화적 비평 형식 또한 번외로 재미있게 추구해볼 수 있는 방식이라고 생각한다.

5. 이번 비평페스티벌에 기획자이면서 비평가로 참여한 경우가 많았다. 큐레이터적인 글쓰기와 비평적 글쓰기에 대해서 차이점이 있다고 생각하는가.

차이가 있다고 생각한다. 물론, 최근에는 작가, 비평가, 큐레이터 사이의 경계가 점차 모호해지고, 그 교집합이 커지고 있지만, 기본적으로 큐레이터와 비평가는 미술계 안에서 역할이 구분되어 있는 편이기 때문에 그에 따라

그 역할 안에서 글을 쓰게 되면 그 방식이 구분되는 것 같다. 큐레이터는 작가의 작업을 잘 읽음으로써 전시라는 과정을 통해 담론을 만들어내는 역할을 수행하고, 비평가는 전시나 작업이 선보인 이후 거리 두기를 하면서 (비판적으로) 재해석하거나 앞으로의 방향성을 제시하면서 담론을 만들어내는 역할을 수행한다고 본다.

이에 따라 큐레이터적인 글쓰기는 작가나 전시가 무엇을 추구하는가, 함께 무엇을 만들고 있는가에 집중되는 반면에, 비평적인 글쓰기는 보다 결과물에 대한 분석에 집중된다. 그리고 어떠한 분석 이후에는 파악된 장점과 단점이 생기게 마련이기 때문에 비평적 글쓰기는 비판적 지점들을 자연스레 담아내게 된다고 생각한다. 물론, 큐레이터도 비평적 글쓰기를 할 수 있으며 비평가도 큐레이터적 글쓰기를 할 수 있다.

첨언하자면 최근 한국의 비평들은 비판이라는 자연스러운 부분을 스스로 억제하고 있는 것 같아서 아쉽다. 나부터도 그런데, 멀지 않은 과거에 젊은 작가의 작업에 대해 비판적으로 글을 썼을 때 혹시 상처를 받은 것은 아닐까 내내 마음에 걸렸다. 그러나 생각해보면 음해가 아니고서야 비판적인 부분들은 말해져야하고, 이에 대한 수정이나 보충을 통해 다음 단계로 나아갈 수 있다. 비판적인 부분들도 자유롭게 말해지고, 크게 상처 받지 않는 분위기가 형성되면 좋겠다.

6. 평소에 어떤 전시 혹은 어떤 작가에게 주목하는가.

개인적으로 좋은 전시와 작업의 역할은 창문을 활짝 여는 것처럼 관객 또는 대중에게 다른 세계를 열어주는 것이라고 생각한다. 믿어 의심치 않는 세계에 균열을 가하고, 그로써 다른 입장에서 이해하고 다른 가능성들을 보게 하는 과정을 통해 예술은 사람들과 함께 더 나은 세계로 함께 나아갈 수 있다고 믿는다. 물론 그 세계는 형식적 차원일수도, 주제적 차원일수도 있다. 따라서 어떤 쪽을 다루든 상관없이, 어떠한 의미를 형성하고 물음을 던지는 전시와 그런 작업을 하는 작가를 주목한다. 예컨대 개인전이라고 하더라도 해당 작가의 작업들을 적절하고 완결성 있게 읽어 내거나 아주 새롭게 읽어내는 전시들을 재미있게 본다.

7. 향후에 어떤 비평가로서 활동하고 싶은가.

스스로가 크게 미래를 생각하고 사는 타입은 아니다. 지금 재미있고, 관심 있는 것들을 하곤 하는데, 전시와 비평은 현재 나의 관심사의 경계 안에 속해있다. 두 가지 일에서 다른 태도가 요구되기 때문에 개인적으로 요즘 전시 만들기와 비평하기가 양립가능할 것인가에 대해 고민하는 부분이 있다. 그러나 가능하다면 그 두 가지를 계속 오가고 싶다.

3등 아트프리상 /
장진택 jintaeg.jang@gmail.com

1. 간단한 자기 소개.

장진택(1986)_홍익대학교에서 국문학과 예술학을 공부하고 영국왕립예술학교 Royal College of Art의 Curating Contemporary Art 석사 과정을 졸업했다. 런던에서는 ≪DELVE≫ (Acme Project Space, 2014), ≪Black Box Formula≫ (Royal College of Art, 2015)를 기획하였고, 서울에서는 ≪육종학적 다층 문화 지형도≫ (Studio 148, 2016), 윤지영 개인전 ≪적당한선에서≫ (빙앤띵 아카이브, 2015) 등의 전시를 기획하였으며, ≪서울 바벨≫ (SeMA, 2016)의 평문 분야에 참여했다. 현재는 독립 큐레이터로 활동하면서 문래동에서 전시 공간 인터랙션을 운영하고 있다.

2. 이번 비평페스티벌에 참여하면서 준비과정이 어떠했는가.

일단 이번 2016 비평페스티벌에서 함께 참여한 원정윤, 이예승 작가와는 기본적으로 비평이라는 매체를 통해 비평가-작가 사이의 협업에서 발현 가능한 상호성을 적극 활용하는 것에 동의하였다. 나는 이론가 혹은 전시 제작자로서의 역할을 수행할 때 항상 '왜 미술을 하는가'라는 의문을 가장 중요한 출발 지점으로 인식한다. 두 작

가와도 미술의 실천 이유에 대한 주관적, 객관적 이유들을 공유하면서 각자의 삶과 작업 활동 사이의 연결 관계를 찾고자 하였다. 또한 비평은 단순히 작가에 대한 일방적 연구의 형식으로서 수행하는 것이 아니라 비평가와 작가 사이의 상호이해를 필요로 한다는 사실을 전제로, 서로가 비평을 일종의 협업의 과정으로 이해하고 그것을 실천하고자 하였다.

3. 비평페스티벌에 대한 총평.

비평페스티벌 이후에 작성했던 리뷰를 자기 참조하여 이 질문에 대한 답을 대신 하고자 한다. "참여자들에게 '라이브-비평'이라는 참신한 형식을 제안한 비평 페스티벌은 미술계 안에서 비평이라는 장을 둘러싸고 있는 아티스트와 비평가들에게 좀 더 건강한 형태의 관계맺음을 이끌어 내는 역할을 할 수 있음을 보여주었다. 이는 작가와 비평가라는 위치에서 자연스레 수반하게 되는 각각에 대한 당위적 관심을 초월하여 진정으로 서로를 알고자 하는 상호이해의 노력에 따른 참여자 모두의 성과임에 분명하다. 그리고 이를 참여자, 관람객 모두에게 다시금 전달해 주고 있다는 점에서 본 행사의 의미를 되새겨 볼 수 있을 것이다."

4. '발화적' 비평 형식에 대해서 어떻게 생각하는가.

비평은 그 자체로 하나의 장르이고, '발화적' 비평이라는 개념은 이를 실천하는 여러 방법론 중의 하나를 일컫는 것이다. 따라서 그것이 발화를 통해 수행되든, 아니면 텍스트를 통해서 수행되든지 결국 그 의도는 다르게 나타나지 않을 것이라고 생각한다. 그러나 발화적 비평은 그 매체의 특성상 우연성에 좀 더 영향을 받는다는 점이 특징이다. 발화자의 발화법과 발화자 간 향유하는 발화 형식에 따라 그것이 받아들이는 관람객에게 미치는 영향도 큰 편차를 가진다. 사실 발화적 비평은 일반적으로 그것이 글로 쓰이기 이전에 작가와의 미팅을 통해 서로 간에 항상 수행되고 있다. 비평페스티벌은 그것을 텍스트화되기 이전의 발화적 비평 형식을 관람객에게 있는 그대로 전달해 준다는 특징을 가지고 있는데, 경험에 빗대어 보면 이러한 발화 비평의 공유는 확실히 비평의 주체들 및 관람객과의 다선적인 관계 맺음의 결을 좀 더 단순 명료하게 정리하는 특수한 구도를 형성한다고 볼 수 있을 것 같다.

5. 이번 비평페스티벌에 기획자이면서 비평가로 참여한 경우가 많았다. 큐레이터적인 글쓰기와 비평적 글쓰기에 대해서 차이점이 있다고 생각하는가.

큐레이터와 비평가의 경계는 점차 흐려져가는 추세라고 생각한다. 이는 현대의 큐레이팅 개념과 큐레이터의 역할에 대한 이해가 점차 심화되면서, 이에 따라 그 실천 형식 또한 다양한 변조로 나타날 수 있는 가능성이 점차 농후해 지고 있기 때문일 것이다. 그럼에도 불구하고 큐레이팅과 비평의 글쓰기의 차이를 찾고자 한다면 그것은 '대표성'의 지점에서 발현된다고 생각한다. 기본적으로 큐레이터는 전시를 만드는 사람이기 때문에 글을 통해 스스로의 기획을 대표하면서도 이를 구성하는 각각의 작가 혹은 작품들을 대변해야 한다. 비평의 글쓰기는 일종의 리뷰로서, 전시 혹은 작품에 대한 좀 더 개인적인 배경적 지식을 바탕으로 주관적인 소고를 표출하고 있다는 점에서 그 차이가 있다고 생각한다.

6. 평소에 어떤 전시 혹은 어떤 작가에게 주목하는가.

추상적으로 들릴 수도 있겠지만, 개인적으로 균형을 잘 유지하고 있는 작가에 주목하는 편이다. 여기서 '균형'이라 함은 작품 내부와 외부, 매체와 내용, 작품과 작가, 작가와 세계, 작품과 역사, 전시와 관객 등 미술계를 구성하고 아우르는 개념들 간의 미묘한 균형을 절묘하게 잡아내고 있거나 혹은 적극적으로 그러한 균형을 흔들어 대면서도 그 작가가 창작하는 작품과 작가로서의 포지션, 그리고 이 모두가 공개되는 전시가 올바르게 서 있는 느낌을 주는 작가에게 저는 흥미를 느낀다. 이는 작가가 관객과 함께 향유하는 미술이라는 매체가 주관성과 객관성의 영역을 미묘하게 오가는 특수한 지점에 위치하고 있기 때문이라고 생각한다.

7. 향후에 어떤 비평가로서 활동하고 싶은가.

개인적으로 비평가 혹은 큐레이터의 지위와 그 역할에 대해서는 아직 정확하게 확정되고 규정된 것이 없다고 생각한다. 때문에 작가와 끊임없이 소통하며 전시를 구현하고 창작하는 큐레이터, 그리고 이에 대한 시선을 그 작업으로 하는 비평가의 역할을 수행할 때 좀 더 다양한 역할들을 발견하는 이론가가 되기를 희망한다. 자기 발현의 욕구와 미술계에서의 자신의 지위에 따르는 책임감

을 적절히 조율하면서 미술계가 좀 더 건강한 모습으로 발전하는데 일조할 수 있기를 또한 바란다.

Book Review

코레오그래피란 무엇인가?-퍼포먼스와 움직임의 정치학
안드레 레페키 지음, 현실문화, 2014

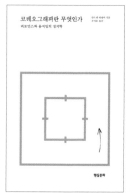

《코레오그래피란 무엇인가?》는 안무가, 무용저술가, 드라마투르기, 무용대본작가, 무용공연 리뷰어 등 무용을 둘러싼 글쓰기를 하는 이들에게 많은 영감을 불어넣어 줄 책이다. 무용은 흔적이 남지 않는 무형의 예술이지만 순간의 예술이기도한데, 현재에 충실해야만 하는 안무가와 축적 불가능한 장르를 축적하는 작업을 하는 이들에게 '소진되는 춤'이라는 제목은 공감대를 일으킨다. 쌓이지 않는 작업, 현재에 충실해야만 가능한 춤, 극히 동시대적인 발화를 반복하는 안무가들에게는 안무라는 의미를 심도 있게 생각해볼 수 있도록 도울 수 있다고 본다.

본 책의 원전은 Exhausting Dance: Performance and the Politics of Movement로 소진되는 춤으로부터 안무-화 과정의 역사와 그로부터 일어나는 정치, 사회, 경제의 관계성을 여러 아티스트들의 작품을 통해 다루고 있다.

16세기 말 투아노 아르보에 의해 만들어진 오케소그래피(Orchesographie)는 춤(orchesis)과 글쓰기(graphie)의 합성어로 움직이는 주체와 쓰는 주체를 하나로 본 용어이다. 춤을 기록하기 시작하면서 몇 세기를 거쳐 내려온 규칙들은 이에 상응하는 훈련된 신체에 훈육되어 왔는데, 이 책의 저자 안드레 레페키(André Lepecki)는 근대성에서 새로운 형태의 주체성이 출연함으로서 여러 아티스트들의 작품에서 발현된 '정지(still action)'에 주목한다. 정지는 움직임의 또 다른 표현으로 춤의 이상향에 대한 비평적 수행에서 안무가들에 의해 자연스럽게 이뤄지는데 저자는 제롬 벨의 작품을 통해 '느린 존재론'에 대해 이야기한다. 리듬감과 시간성, 선율과 시퀀스 그리고 연속성의 파괴는 그간 춤이 음악과 뗄 수 없는 관계로 계승되어왔던 춤의 역사를 다시 되짚어본다. 지속적인 움직임이라는 춤의 기본전제에서, 춤을 음악으로부터 분리할 때 춤의 움직임은 자유를 얻게 된다. 춤의 자율성은 독립된 몸을 가진 안무가에게 사유를 행위로 표현할 여지를 주고, 즉흥(improvisation)도 할 수 있는 주체성을 생성한다. 하비 퍼커슨은 근대성의 영구적 표상을 '움직임'이라 주장한다. 근대성의 주체성을 움직임 그 자체로 바라보고 독립적인 움직임의 주체이자 표상인 존재에게 세상과 타인, 사물과 지속가능한 접점과 관계를 어떻게 성립할 수 있는가라는 질문은, 어떻게 움직여야 하는가라는 춤의 질문과 맞닿는다.

식민주의적인 위력이 동시대 안무적 실천에 미친 영향으로는 트리샤 브리라운과 라 리보, 윌리엄 포프엘, 베라 만테로의 작업을 통해 살펴본다. 흥미로운 것은 안무가뿐만 아니라 안무작업에 해당되는 작가들도 다루고 있어 무용뿐만 아니라 현대예술 안에서의 안무라는 폭넓은 개념을 세심하게 살펴볼 수 있다.

현재 국내 안무가들에게도 컨템퍼러리아트에서 움직임의 정의와 무용의 사회참여에 대한 고민이 지속되고 있다. 흔히 무용은 이성의 언어보다 감정의 언어로 표현되는 특성상 변화하는 사회상과 거리가 멀 수밖에 없다고 말한다. 춤이 무엇을 담아내는가를 고민하기 이전에 춤을 이루는 움직임의 변화와 춤의 역사와 현재의 동향, 이를 사유하고 움직이는 안무가의 태도 등 그 사이를 확대시켜 들여다보고 깊게 해석하는 것에 대하여 생각해보도록 한다. 저자가 그 '사이'에서 정치적으로 대안적인 정동들이 제안되고 생산될 수 있다고 한 것처럼, 춤의 글쓰기, 즉 안무는 다음 세대를 훈육하기 위한 오더를 기록하는 것이 아닌 과거의 시간을 재정립함으로써 미래의 안무에 새로운 지평이 열릴 수 있을 것이라고 전망한다.

마샬 시겔은 "춤은 소실점이다. 창조되는 순간 사라져버린다"고 말한다. 움직임, 더 나아가 춤은 이를 수행하는 도구가 몸이라는 점에서 큰 힘을 지닌다. 춤추는 몸이 살아가는 사회, 정치적 토양이라는 배경과 동시대의 표상으로써 몸이 표현하는 춤 사이에서 일어나는 대화는 매우 스펙터클하다. 몸이 던진 행위가 또 다른 주체성을 지닌 타자(관객)와 문화의 지평선을 확대함으로써 안무는 계속해서 발전하고 시대와 호흡할 것이다.

양은혜(무용저술가) snowtanz7@gmail.com

현대미술 글쓰기_아트라이팅에 대해 알고 싶은 모든 것

길다 윌리엄스 지음, 정연심 감수, 김효정 옮김, 안그라픽스, 2016

"학술 논문, 카탈로그 텍스트, 갤러리 가이드와 전시 설명 라벨, 전시 리뷰와 특집기사, 옥션 카탈로그, 뮤지엄 웹사이트와 블로그"

책 표지에 당당하게 등장한 위의 글의 형식들은 현대미술을 대상으로 이루어진 현장에서 작성하게 되는 세부 장르다. 다소 평이한 책의 제목보다 표지에 빨간 선으로 밑줄 그어진 6가지 성격의 글에 대한 소개를 보고 기대감을 갖고 읽어나가기 시작했다.

현대미술에 관한 수많은 종류의 글은 작성자의 최소한의 문해력을 의심하게 만드는 경우가 많다. 현란한 수사는 '현대미술'에 대한 거리를 더욱더 멀어지게만 하는 경우가 비일비재하며, 오히려 작품과 전시 자체에 대한 정보를 더욱 혼탁하게 한다. 유명한 평론가들의 글을 읽으며 현대미술에 대한 지식을 쌓아온 미술계 초년병에게는 상대적으로 글쓰기의 두려움이 크게 자리하고 있을 것이기에 이 책의 출간은 더없이 반가운 일이 아닐 수 없다. 무엇보다 실용적인 가이드라인이 순서대로 제시되어 있어 작성해야할 글의 성격에 따라 실질적인 지침을 받을 수 있어 저자의 세심한 배려가 느껴진다. "예술에 대한 글을 잘 써야하는 단하나의 이유는 훌륭한 예술은 그런 대우를 받을 자격이 있기 때문이다"라는 저자의 태도가 전 영역에 드러난다.

요즘처럼 글쓰기 플랫폼이 다양한 시기가 있었을까 싶을 정도로 온라인이라는 환경은 인쇄매체만 유통되던 시기와는 전혀 다른 방식으로 광범위한 독자와 필자를 생산하고 있다. 그러나 대부분 예술에 대한 취미를 전달하기 위한 피상적인 언급에 불과하며 통찰력이 있는 예술 경험을 자극하는 글을 만나기란 쉽지 않다.

저자 길다 윌리엄스는 1994-2005년까지 파이돈 프레스(Phaidon Press)에서 편집자로 일했으며,《플래시아트 인터내셔널(Flash Art International)》의 편집장을 거쳐 《테이트 Etc.(Tate Etc.)》,《파케트(Parkett)》,《아트 먼슬리(Art Monthly)》,《아트 인 아메리카(Art in America)》등 여러 매체에 기고하고 있다. 오랜 경험을 통해 탄탄하게 다져진 베테랑의 한 수가 보이는 것은 아주 풍부한 예시에 있다.

이 책이 명확하고 설득력이 있는 이유는, 절대 하지 말아야 할 실수에 대해 구체적으로 정확하게 짚어주고 있기 때문이다. 그녀는 풍부한 사례를 제시하고 해당 글에서 전달하는 정보에 대한 핵심질문을 던진다. 현란한 문체보다는 정확한 아트라이팅에 대해 강조하고 있다. 글의 성격에 따라 구성을 고민할 때 혹은 다 쓴 글을 퇴고하고자 할 때 점검하면 좋을 질문들이 유용하다. 이미 출판된 미술에 대한 글쓰기 책들이 지나치게 광범위하거나 학술적이라 부족했던 점을 충분히 보완해주는 책이다. 그래서 현대미술의 현장에서 커리어를 시작하는 누군가의 책상 위에서 필요할 때마다 열어보면 좋은 책이다. 무엇보다 가독성이 매우 좋으며 위트 있는 저자의 표현들까지 매끄럽게 번역되어 있어 깊이 빠져든다. 첫 문장에 대한 두려움이 있는 누구에게나 추천한다.

강은미(그레파이트온핑크 에디터) orienkang@naver.com

퍼포먼스, 몸의 정치 _ 현장비평과 메타비평

고은진, 김선영, 김슬기, 김주현, 오경미 지음. 김주현 편저. 여성문화이론연구소, 2013.

이 책은 비평과 대중과의 거리를 좁히고, 관객이 비평에 참여하여 좀 더 풍부한 예술적 경험을 할 수 있도록 이끈다. 저자이자 편집자인 김주현은 서문에서부터 이 점을 분명히 한다. 비평문이 전시의 구색을 맞추기 위한 글로 남을 뿐 대중에게서는 외면받는 현실을 지적하며, 작품의 안과 밖에서 관객들이 느낀 바와 생각한 바를 교류하도록 돕는 글쓰기를 하고자 한다.

따라서 관객의 참여를 전제한 퍼포먼스와 대중의 격렬한 반응을 유도했던 사건을 다룬 것은 당연한 선택이다. 전자는 김홍석의 2008년도작 <Post 1945>, 후자는 2012년도의 '나꼼수 지지자들의 SNS 비키니 시위-논쟁 퍼포먼스'이다. 비키니 시위는 예술작품이 아니지만, 저자들은 이 사건이 야기한 반응과 논쟁을 퍼포먼스의 범주에 포괄하였다. 마찬가지로 김홍석의 <Post 1945>에 대한 여성주의 단체의 대응 역시 작품의 연장으로 다루었다. 이렇게 '퍼포먼스'의 범주를 확장하는 것으로, 두 사안에 관심을 가진 대중을 비평적 논의에 자연스럽게 참여시킨다.

두 사안 모두 여성의 대상화가 논쟁의 중심이었으므로, 저자들은 페미니즘을 방법론으로 삼은 것은 어찌 보면 당연한 일이다. 또한 저자들의 일관된 목표가 '대중과 함께하는 비평'임을 감안할 때, 이론과 실천이 함께 이루어지는 페미니즘을 선택한 것 역시 적합했다고 생각한다. '페미니즘'이라는 용어가 등장하자마자 관심을 잃는 독자들이 꽤 있으리라 예상하지만, 이 책은 페미니즘적 비평에 대한 반론도 충분히 등장하고 있다.

내가 이 책에서 주목한 바는, 저자들이 대중의 참여를 독려하는 방식이다. 누구라도 흥미를 가질 만한 논쟁적인 이벤트를 다루었다는 점이 전부가 아니다. '비평'은 전문가들이나 할 수 있다는 선입견을 일으킬 수 있는 지점들을 섬세하게 짚어 내고, 그 지점마다 전문 용어나 개념을 차분하게 설명한다. 즉, 사전 지식이 부족하여 비평 과정에서 이탈하는 독자가 생기지 않도록 배려한 것이다. 책의 첫 비평문을 쓴 오경미의 글에서는, 비판의 핵심이 되는 용어인 '휴리스틱스'는 물론, 퍼포먼스 작품을 탄생시킨 포스트모더니즘 미술의 발전 과정까지 설명이 되어 있다. 이러한 노력이야말로 현대미술에서 소외감을 느끼는 대중을 다시 현장으로 불러들인다고 본다. 나는 미술과 대중의 거리를 좁히는 책임을 작가에게 물어서는 안 된다고 믿으며, 특히나 '쉬운 작품'을 만들라는 요구야말로 작품의 수준은 물론 관객의 수준까지 하향평준화하라는 잘못된 요청이라고 생각한다. 오히려 관객과 작품의 사이에 있는 이론가와 교육자들이 교두보 역할을 잘 해주는 것이 문제의 올바른 해결이라고 믿는 바, 이 책의 저자들이 보여준 배려에서 큰 희망을 느꼈다.

또 하나 인상깊었던 점은, 흥미로운 사건을 다루면서도 말초적인 호기심만을 자극하는 자료는 전혀 싣지 않았다는 점이다. 비키니 시위와 관련된 평에서는 독자들이 '어디 그 문제의 비키니 몸매 얼마나 대단한지 나도 한 번 구경해 보자'는 생각을 할 만 하다는 점은 인지하고 있지만, 저자들은 그 기대에 일부러 부응하지 않았다. 김홍석의 '창녀'나, 비키니 시위자 '푸른귀 님'의 신체가 시각적 자극제로 소비될 가능성을 막은 것이다. 물론 글로 충분히 설명되었기에 굳이 시각자료가 필요하지는 않다. 요즘처럼 내용과 아무런 상관이 없어도 독자의 관심을 끌고자 성적인 이미지를 남용하는 글이 범람하는 시대에, 저자들의 이러한 선택은 품위있어보이기까지 한다.

두 사안에 대한 상충되는 의견들을 따라가다 보면, 책의 마지막 부분인 '메타 비평'에 이르게 된다. 지금까지 서로 다른 의견이 나오게 된 전제조건에 대한 비평이 여기서 이루어진다. 작품이 탄생하고 그것이 수용되는 과정이 사회적 맥락에서 자유로울 수 없다는 주장은, 근대 미학이 설정한 '초월적 자아', 즉 성별이나 지위로부터 완전히 자유로운 무심한(disinterested) 작가 또는 감상자가 해체되면서부터 이어진 주장이다. 근대 미학의 탄생 배경 역시 정치적 맥락에서 자유로울 수 없다. 따라서 김홍석의 작품은 작품 자체로 보아야지 사회적 윤리의 잣대를 댈 수 없다든지, 비키니 시위 수행자가 본인의 성적인 이미지를 정치적 도구화한 것은 자발적 선택이므로 상황을 만든 나꼼수를 비난할 수 없다든지 하는 주장이 그렇게 간단히 설립될 수 있지 않다는 설명으로, 저자들은 독자에게 한 차원 위의 생각거리를 안겨 준다. 흥미로운 주제에 대한 한바탕 속풀이가 아닌, 더 깊고 더 새로운 질문을 안고 책을 덮게 되는 것이다. 저자들이 첫머리에서 한

'함께 생각해 보자'는 말이 허울 좋은 인사치레로 남지 않고, 구체적이고 진정한 권유로 독자들의 마음에 남게 되는 이유이다.

김화현(예술가) isola9@naver.com

큐레이터 _ 이 시대의 큐레이터가 되기 위한 길
에이드리언 조지, 문수민 역, 안그라픽스, 2016

큰 기관에서 계약직 연구원으로 2년을 일하고 충전의 시간을 갖고 있을 때 이 책을 만났다. 아니, 사실 서점에서 표지를 본 적은 있었지만 많은 책들이 그러하듯 일종의 자기계발서 같은 내용뿐일 것이란 생각에 큰 관심이 가진 않았다. 일이 정리되고, 여행을 다녀온 뒤 GRAVITY EFFECT 3호의 서평을 위해 첫 장을 펼쳤을 때 그 생각이 나의 편견이었음을 깨달았다.

흰 색 표지 안쪽에는 큐레이터로서 하게 되는 수많은 역할과 함께 전시를 기획하는 단계부터 실제 전시로 구현하고, 또 전시 종료 후에 정리하는 일까지 진행 단계별로 맞닥뜨리는 일들이 펼쳐져 있었다. 아이디어를 내고, 전시 기획서를 작성하고, 작품목록을 만들고, 예산을 편성하고, 전시 협약서를 작성하고, 도록과 브로셔를 만들고 전시장에 작품을 설치하는 일에 이르는 이야기를 차근차근 읽고 있노라니 인턴 시절부터 몇 달 전까지 진행했던 여러 전시가 낱장으로 흩어진 뒤 각 단계별로 파일에 정리되는 것 같은 기분이 들었다.

사실 미술관이나 박물관은 규모에 비해 학예 인력이 부족한 경우가 대부분이라 일하는 사람들은 늘 정신없이 바쁘다. 특히나 전시가 몇 달 남지 않았을 때는 하루에도 수차례 회의가 열리기 때문에 갓 들어온 인턴이나 신입 직원은 내내 눈과 귀를 크게 열고 상황이 어떻게 돌아가는 것인지 눈치를 살필 수밖에 없다. 일을 여러 번 하다

보면 진행 순서를 알게 되고 나름 요령이 생겨서 다음 일을 예상하고 대비할 수 있지만, 처음에는 그 모든 상황이 당황스럽게 느껴진다. 이 책이 진가를 발휘하는 순간은 그럴 때가 아닐까 싶다. 전시 진행 단계별로 고려해야 할 점을 명시해두었으며, 예상치 못한 변수가 생길 수 있다는 점까지 예를 들어 설명하고 있다. 또 전시를 준비하다 보면 수많은 문서를 작성해야 한다. 때로는 문서에 중요한 내용이 빠져 일이 이후 복잡해지는 일도 많은데, 이 책에는 그런 문서를 작성할 때 참고할만한 내용과 항목 또한 체크리스트처럼 실려 있다.

책을 읽을수록 내일모레 전시 개막식을 앞둔 것 같은 긴장과 압박이 느껴져 힘들기도 했지만, 보람을 느꼈던 순간들도 다시금 생각이 났다. 미술관 인턴 시절 내게 3개월짜리 계획표를 주면서 전시 진행 과정을 설명해주셨던 첫 사수 선생님을 비롯해 함께 고생했던 사람들도 떠올랐다. 이 책을 읽는 동안 함께 일했던 동료들과 친구들, 후배들에게 몇 번이나 이 책을 권했는지 모른다. 마지막장까지 읽고 나니 흰색 바탕에 금박 글씨로 큐레이터라고 쓰여있던 그 깍쟁이 같던 표지가 달리 보였다. 전시를 위해 백방으로 뛰어다니고 전시와 도록을 만드느라 며칠 밤낮을 잠도 못 자고 일하면서도 개막일에는 말끔한 모습으로 나타나야만 하는 큐레이터라는 백조의 모습 같았다.

김윤영(미술사) ceruleanblue04@gmail.com

SOULFOOD
BOOK MARKET

소울푸드 북마켓 참가자 모집

일시: 2017년 9월 23일~24일, 양일 간
(23일 1-7시, 24일 11-7시)
장소: 경기도 양평 문호리 일대
주최: GRAPHITE ON PINK 출판사

참가신청: www.graphiteonpink.com

GRAVITY EFFECT 2017 제2회 미술비평공모

미술무크지 GRAVITY EFFECT에서는 국내 새로운 미술 비평가를 발굴하기 위해
연 1 회 미술비평을 공모하며, 다음과 같이 원고를 모집한다. 이번 공모를 통해
활동하게 될 비평가들이 지속적으로 작가와 비평가, 비평가와 비평가의 만남을
이루어가고, 미술계를 이끌어갈 수 있기를 기대한다.

공모일정
공모 마감 2017년 10월 31일

자격
나이 및 학력 제한 없음

제출원고
2017년 전시 비평
작가 비평
동시대 미술의 경향 비평 / 중 택 1
A4 2.5 - 3p 분량

시상내역
1등 100만원 / 2등 50만원 / 3등 30만원
GRAVITY EFFECT Issue 5호에 게재

선정 비평가 개별 인터뷰 외
기타 관련 일정은 추후공개

심사
편집부

당선발표
2018년 1월초

제출 및 문의
info@graphiteonpink.com
향후 자세한 사항은 Graphite on Pink
웹사이트를 참고

www.graphiteonpink.com